CHAQUE FOIS, JE T'INVENTE

D0783936

STÉPHANIE BELLEMARE-PAGE

Chaque fois, je t'invente

roman

LEMÉAC

Ouvrage édité sous la direction
d'Hélène Girard

Leméac Éditeur remercie le Conseil des arts du Canada, la Société de développement des entreprises culturelles du Québec (SODEC) et le Programme de crédit d'impôt pour l'édition de livres du Québec (Gestion SODEC) du soutien accordé à son programme de publication.

Financé par le gouvernement du Canada | Canada
Funded by the government of Canada

Tous droits réservés. Toute reproduction de cette œuvre, en totalité ou en partie, par quelque moyen que ce soit, est interdite sans l'autorisation écrite de l'éditeur.

ISBN 978-2-7609-4715-3

© Copyright Ottawa 2015 par Leméac Éditeur
4609, rue D'Iberville, 1ᵉʳ étage, Montréal (Québec) H2H 2L9
Dépôt légal – Bibliothèque et Archives nationales du Québec, 2015

Mise en pages : Compomagny

Imprimé au Canada

Pour Ariane et Emeric

Je me souviens du vent qui s'est mis à souffler. Sur le navire, les bruits se réveillèrent et il s'est mis à grincer, ce géant moribond. Comment faire entrer tous ces cris disparates, fondus en une plainte menaçante dans le silence d'une photographie ?

VASSILI GOLOVANOV

Le temps que je vivais s'arrêtait quelquefois, un instant se formait, n'avait plus de but, durait sans se précipiter vers un avenir. Ces parenthèses sont ressenties par tout un chacun, mais tel un à-coup fantasque. Moi, j'y voyais la seule existence digne d'être vécue, c'est en cela que j'étais anormal.

GABRIEL OSMONDE

Rêver de quitter le bruit assourdissant de la ville pour le silence du bois, réaliser son rêve, puis mourir d'ennui. Revenir dans la chaleur enveloppante du béton, des piétons, de la vie urbaine, puis s'imaginer être rafraîchi et enivré par le vent salin du fleuve. Retourner dans le calme verdâtre de la campagne et ne pas savoir comment l'habiter. Marcher dans les rues de la ville en maudissant les passants. Se promener en forêt en espérant croiser quelqu'un. Ou ne plus vouloir croiser personne. Puis faire une rencontre extraordinaire. Se dire que c'est exceptionnel. Y penser pendant des jours.

Replonger dans la solitude pour s'imprégner de visages absents. Apercevoir un fantôme dans le coin sombre d'une pièce. Entendre le plancher craquer. Savoir qu'il n'y a personne. Se convaincre que ce n'est que le froid qui fait travailler le bois. Une pile de vaisselle choisit ce moment pour glisser du comptoir et se fracasser contre la céramique. Un bruit de tonnerre. C'est la plaque à biscuits qui a heurté le sol, provoquant un staccato ridicule. En pleine nuit, entendre un craquement dans le mur. Un coup de fusil. Un meurtre? Bang, la cervelle éclate, des giclées de sang sur le papier peint. Imaginer les cris du voisin, de l'autre côté du mur. Impossible, je suis seule au bout d'un rang. Une scène urbaine, au fin fond de la campagne. Faire de l'insomnie en pensant qu'il faut aller au village le lendemain acheter du lait, du pain. Et surtout du beurre. Pour mon fils et moi.

Les employés d'Hydro-Québec s'affairaient à réparer un fil électrique qui pendouillait depuis deux jours, encore accroché de peine et de misère à un des vieux poteaux de la ruelle. Je n'avais toujours pas d'électricité, une violente tempête mêlant neige et verglas avait causé quelques dégâts en ville. Une toiture amochée, un arbre tombé sur une voiture. Rien de trop grave. Le silence avait une texture inhabituelle, semblait beaucoup plus profond, les bruits électriques en moins. Il faisait froid à l'intérieur, j'étais sortie sur mon balcon arrière pour me réchauffer les mains en me faisant cuire un steak sur le barbecue. J'avais espionné les voisins, qui semblaient eux aussi jouer aux lucioles à force de tourner en rond, lampe de poche à la main, dans leur appartement. J'avais l'intention de me coucher tôt, ne sachant pas trop comment occuper les heures à la lueur d'une chandelle.

Tout, ce soir-là, me plongeait dans un anachronisme un peu forcé. J'avais eu la bonne idée de cirer mes bottes, mais en me dirigeant vers ma garde-robe, ma lanterne de camping à la main et habillée comme un ours, j'avais trébuché sur l'une des boîtes qui jonchaient le sol de mon appartement, me rappelant que la date de mon déménagement approchait.

Mon propriétaire, en m'annonçant qu'il ne renouvelait pas mon bail parce qu'il voulait reprendre possession du logement, avait brisé cette liberté que je payais à l'occasion. La liberté des départs volontaires, ceux qui se font sans que l'on ait à rendre de comptes à personne. J'habitais en ville et m'évadais à l'occasion à la campagne, quand soudainement tout m'énervait, jusqu'à la façon dont les gens faisaient semblant d'être heureux. J'avais visité trop de pays où ces sourires niais nord-américains n'existaient pas, et je l'avais chaque fois vécu comme une libération. Cela m'avait rendu toute fausse bonne humeur insupportable, du moins suffisamment pour que je m'enfuie lorsqu'un vendeur aux dents blanchies s'approchait de moi...

Je devinais que mon appartement au loyer raisonnable allait être transformé en condo. Officiellement, mon proprio m'avait dit vouloir l'offrir en location à son fils... Je le voyais bien, les quatre et demie en location disparaissaient les uns après les autres dans ce coin de la ville devenu très populaire depuis quelques années. Les semaines suivant cette nouvelle, je les avais passées dans le déni, ne sachant ni où j'irais, ni ce que j'y emporterais. Forcée de quitter mon logement. J'avais fini par me convaincre que je partirais en voyage, même si ce projet avait les allures d'un rêve qui ne se réaliserait peut-être pas.

J'étais attachée à ce lieu, et plus les années passaient, plus je devenais réticente à l'idée de chambouler le petit univers que j'avais fini par me créer. Au fil des ans, chaque geste posé pour m'approprier cet espace avait pris une importance démesurée. Ici, un fauteuil de lecture près d'un rideau blanc, une table haute, étroite, pour poser ma tasse de thé, au-dessus de laquelle pendait une plante araignée. Là, un cadre qui attendait depuis des années de trouver une place, d'être accroché, car je n'avais pas le courage d'enfoncer le clou dans le mur. Ici, un nouveau tapis, là, sous le puits de lumière, une plante qui ne demande aucun entretien. Qui avait probablement survécu grâce à l'humidité de la douche matinale, ou à celle, plus diffuse, du bain de fin de soirée. Dans le coin de la pièce, un gros bouddha recouvert de poussière.

Ma valise ouverte, les caisses empilées dans le coin de ma chambre et les meubles en trop dont je me débarrassais un à un rendaient progressivement le vide de mon logement encore plus profond. L'écho s'y propageait de mieux en mieux. Et ce qu'il restait de mon intimité devenait dérisoire. Mon appartement, anciennement meublé d'habitudes, se dépouillait peu à peu des bibelots, des odeurs, d'un confort qui ne m'appartenaient plus. Je savais que sous peu, ce monde n'existerait que dans ma tête.

La caisse sur laquelle j'avais trébuché était en fait une boîte à chaussures qui contenait des photos de voyage et d'autres objets vétustes que j'avais accumulés au cours des années et qui, je m'en rendais compte, avaient fini par disparaître de notre paysage. Un carnet d'adresses. Du papier à lettres. Des diapositives! Des cartes postales. Qui donc envoyait encore des cartes postales, à l'heure où les souvenirs n'avaient pas le temps de s'empoussiérer parce qu'ils voyageaient trop vite? Des photos en noir et blanc que j'avais moi-même développées. Et ce rouleau de pellicule, jamais développé. Que cachait-il?

Je faisais de la photographie du temps où on développait encore nos pellicules dans des chambres noires, où on goûtait à la magie de voir réapparaître lentement des visages captés trois jours, parfois trois mois plus tôt. Dans cette pile de photos, j'aperçus soudain le visage souriant de mon fils, alors qu'il était âgé de trois ans à peine. Mon fils avec qui j'avais un plaisir fou à faire des autoportraits en posant l'appareil à l'autre bout de la pièce et en activant le déclencheur automatique. Nous entendions la minuterie suivie d'un martèlement rappelant celui d'une mitraillette (taratatatan). L'excitation atteignait son comble quand le signal final se faisait entendre quelques secondes avant la prise de la photo. Mon fils, un petit bonhomme qui ne me laissait pas souffler deux minutes, qui, quand j'essayais de le poser, se ruait aussitôt vers moi pour coller ses doigts sales sur mon objectif… Ce même garçon qui, trente ans plus tard, avait décidé de ne plus me donner de ses nouvelles.

Quitter mon chez-moi signifiait aussi le laisser derrière, lui, le petit que j'allais bientôt enfermer de nouveau dans cette boîte à chaussures et l'autre, le grand, qui ne s'accrochait plus à mes jupes. C'était abandonner l'espoir qu'il vienne un jour frapper à ma porte, comme il le faisait avant, sans avertir. Comme s'il rentrait chez lui. J'avais le sentiment grandissant que lui non plus – son visage, son souvenir – ne m'appartenait plus…

Ce soir-là, dans la noirceur de novembre, privée de tous les bidules électroniques qui m'ancraient et me ramenaient constamment dans le présent, je ressentis un mélange de soulagement et de tristesse teintée de nostalgie. Un décalage soudainement évident entre tout ce que le monde entier me demandait d'être et d'aimer et qui très souvent ne me ressemblait pas. Un monde sur lequel j'étais de plus en plus tentée de fermer les yeux.

* * *

Un tintement se fait soudainement entendre et d'un coup, l'électricité revient, me sort brutalement d'un sommeil léger. La lumière, le son, les cris des journalistes télé que j'avais laissés en plan reprennent leur place dans mon salon. Une chaîne de télévision américaine nous montre des images en direct de Times Square, les têtes de Shrek, de Charles Montgomery Burns, de l'Oncle Sam et de Mahmoud Ahmadinejad accompagnées de slogans alarmistes en gros caractères qui se font concurrence sur le terrain de la peur : *America is drowning in debt, if you don't do anything, who will ?*; *Ahmadinejad : He's not welcome here. You can do something about it*; *Before a disaster turns your world upside down, be ready. Get a kit. Visit ReadyNYC.com.* On croirait voir la bande-annonce d'une superproduction à succès : l'Oncle Sam, croulant sous les dettes et menacé par un islamiste machiavélique, est sauvé de la débâcle par un ogre vert, sous l'œil amusé d'un milliardaire sans scrupules. On aperçoit les tours qui affichent les noms des grandes institutions financières sauvées de la faillite grâce à l'aide du gouvernement américain durant la crise de 2008. Ces noms continuent à briller dans le noir, avec leur lettrage indémodable, ici d'un bleu azuré, là, d'un rouge agressif. Au rez-de-chaussée, entre d'étroits magasins de souvenirs, de jouets et d'électronique, il y a un bar aux larges portes ouvertes. Je ne comprends rien à la série de statistiques qu'énumère fébrilement le commentateur sportif. J'appuie sur Mute. J'aperçois à l'écran un jeune homme d'affaires qui se tient debout, légèrement appuyé sur une table haute, la cravate desserrée, une bouteille de Bud à la main. Je l'observe attentivement, comme si c'était toi. Concentré sur la partie de basket, l'homme penche parfois un peu la tête à droite pour parler à son voisin, tout en gardant les yeux rivés sur le grand écran. Il se retourne. Non, ce n'est pas ton visage. Dans une petite rue transversale, on nous montre un policier qui sommeille, confortablement couché dans sa voiture.

La ville de New York est d'un calme relatif, mais on cherche à nous convaincre du contraire. La veille, à l'heure du souper, un homme a garé son Pathfinder noir aux vitres teintées à l'intersection de la 47ᵉ Rue et de Broadway, pour ensuite sortir de son VUS et prendre la fuite. Un vendeur itinérant a alerté les autorités après avoir aperçu de la fumée sortir du véhicule. Les policiers ont vite érigé un périmètre de sécurité et désamorcé la voiture piégée, qui contenait trois réservoirs de propane à barbecue, deux bidons d'essence, des feux d'artifice, des fils électriques, deux minuteries ainsi que des sacs de fertilisant.

J'agrippe la télécommande, une bouée avant que je me noie. Ce n'est pas la bonne. Je prends l'autre, qui avait trouvé une niche entre deux coussins du divan. Ce n'est pas la bonne. Je me penche, j'en trouve enfin une troisième sur le sol. Arme de dernier recours, presque plus de munitions : la pile est faible. Je change enfin de poste et je remets le son. Le retour de soldats canadiens après une mission à l'étranger est présenté sur une musique larmoyante avec, en arrière-plan, l'unifolié qui ondule, caressé par une brise imaginaire. Sur l'un des écrans, l'image d'un père soldat, qui fait une visite-surprise à sa petite fille dans son école primaire de la Saskatchewan. Le cri de joie mêlé aux pleurs de la fillette m'arrache une larme. En rafale, les photos officielles de ceux qui ne reviendront jamais : Dany, 22 ans ; Martin, 19 ans ; Brian, 26 ans ; Ashley, 24 ans ; Karine, 22 ans. Écran rouge. La vague blanche de Coke y déferle comme un raz-de-marée. Je mets fin à ma peine instantanée. Je reviens sur Times Square qu'on filme en continu. Pause publicitaire. Indifférente au scintillement des néons publicitaires, une adolescente à la peau rougie par le soleil de la journée est étendue, yeux fermés, la tête appuyée contre les cuisses de son copain. Celui-ci fait défiler les pages web sur son téléphone en le caressant habilement de son pouce droit, envoie un message texte à son ami. Fait un selfie en moins de deux, sans même que sa copine s'en rende compte. Le lui envoie. Quelques mètres plus bas, une fillette s'amuse à descendre les marches d'une estrade, une à une, en sautant à cloche-pied. Sa jupe se soulève à chaque saut, sa mère la guette, inquiète, de peur qu'on aperçoive sa petite culotte, de peur qu'elle tombe. La pub se termine avec le visage souriant de la mère qui serre sa fillette dans ses bras. Retour sur Times Square. Trois touristes regardent en l'air, la bouche ouverte, tentent de cadrer dans le rectangle lumineux de leur portable l'ogre vert, en essayant on le devine d'en exclure le sombre faciès d'Ahmadinejad. Sous le néon bleu de Samsung, une ligne de nouvelles défile à une vitesse trop rapide pour que l'œil soit capable de tout lire. Wall Street ouvre en légère baisse. Reprise du processus de paix israélo-palestinien. Des dizaines de morts dans un attentat en Irak. Victoire du Canadien de Montréal contre les Penguins de Pittsburgh

J'imagine New York de mon salon. Je passe de l'inquiétude à l'insouciance avec une rapidité déconcertante. Le mouvement du balancier assure la stabilité du pays, tant qu'il actionne la pompe d'un puits de pétrole. Il dicte le rythme de la ville, mais pourrait aussi tout broyer sur son passage si quelqu'un, par malheur, se mettait sur son chemin. Le balancier passe. Je me rappelle être venue fêter avec une amie le début du nouveau millénaire dans les rues de la Grosse Pomme. L'an 2000, le bogue, les promesses d'un temps nouveau ou la peur de la fin du monde. Une fanfare traverse la rue où je marche : la meneuse chante et danse, tape dans ses mains pendant que ses camarades jouent de la trompette et du clairon, que d'autres frappent de façon synchronisée sur leur tambour tout en regardant de l'autre côté de la rue. « Straight ahead ! » crie-t-elle. Les filles obéissent. Le balancier revient. Un homme itinérant parle seul ou à un ami imaginaire. Il se met à chanter, à prier, à preacher, de plus en plus fort, la foule s'écarte sur son passage, croise son regard pour vite replonger dans l'indifférence. L'orchestre est englouti par l'escalier menant au métro, laissant derrière lui une musique en sourdine qui s'éteint doucement. L'homme s'assoit dans les marches. Silence quelques secondes. Le balancier repasse. Des claquements d'ailes : des pigeons volent à toute vitesse, on aperçoit leur reflet dans les miroirs dorés d'un immeuble puis ils disparaissent. Le sol tremble. Le métro s'élance sous la terre. J'attends. Les secondes passent. Le balancier revient. Du rouge, le feu passe au vert. Un vrombissement se fait entendre, cette fois provenant du ciel. Les immeubles propagent son écho. Le tonnerre ? Le ciel est bleu. Une femme lève la tête, inquiète. Ce n'est qu'un avion qui passe.

Je pose les yeux sur mon téléphone dont la pile agonise elle aussi. Toujours pas de nouvelles de toi. Tu as disparu de la carte. Tu as cessé de répondre à mes messages, tu as fui comme cet homme qui a bourré sa voiture d'explosifs. En courant, en projetant ta haine, ta hargne, ta honte dans l'anticipation jouissive d'une explosion. Peut-être que d'autres te retrouveront avant moi. Des victimes ou des coupables de ce qui a pu t'arriver et dont j'ignore tout. Et les rôles s'inverseront, encore. Bien sûr tu pourras alors jouer à l'innocent. Je t'imagine comme j'imagine New York ou Paris ou Moscou. Tu es une bombe à retardement.

Je lève la tête vers le téléviseur où mijote un potage. Une pléthore d'invités autour de la table se parlent et boivent du vin. L'animatrice hume la bonne soupe et ne se retient pas de gémir en goûtant le plat de son invité. Une franche camaraderie les unit, si bien que j'ai l'impression de les déranger.

Brusquement, le son strident d'un acouphène fait siler mes oreilles, suivi d'un silence, bref, puis d'un tintement intermittent. On croirait un compte à rebours : le décompte anonyme qui, bruyamment, marque le temps qu'il me reste avant de te revoir. Qui, bruyamment, marque le temps qu'il me reste avant que tout en moi implose.

Je reprends la pile de photos de voyage et monte en moi l'envie soudaine et pressante d'être ailleurs.

* * *

Dans mon désordre, je retrouvai ce vieil appareil argentique qui m'accompagna durant quelques voyages à l'étranger avant ta naissance. Étrangement, je me sentis rarement aussi chez moi qu'en Amérique latine, dans ce pays en guerre. Je louais une chambre dans une résidence où vivaient à la fois des gens de la place et des expatriés. Nous étions coupés du monde par ces grilles hautes, ces murs au-dessus desquels on avait posé des tessons pour griffer la peau des voleurs. Des dents de crocodile vert bouteille. On ressentait la violence partout, des couronnes de barbelés entourant le moindre espace, aussi petit soit-il. Une voisine, Maria Eugenia, menait une campagne locale pour l'entretien et la sauvegarde de ce qu'il restait des espaces verts...

J'allais parfois me réfugier chez elle avant le couvre-feu de dix-huit heures instauré depuis l'attaque des rebelles contre la capitale. Des tirs retentissaient, nous venaient de la montagne, après le chant des oiseaux qui annonçaient le couchant. « C'est des pétards », me disait son mari, pour me rassurer. Comme si j'étais une enfant. Dans ce pays en guerre, j'en étais une. Ils m'accueillaient souvent jusqu'au lendemain. Je me sentais à l'abri chez eux, malgré le vol d'hélicoptères à basse altitude, les rafales de mitraillettes. Je n'étais pas seule.

Là-bas, j'avais fait un projet photo sur les jeunes orphelins qui pendant le conflit avaient fui leur village natal pour se retrouver dans la capitale. Trop jeunes pour être embrigadés par l'armée, par la guérilla. Trop vieux pour l'orphelinat. Ils risquaient de sombrer dans la délinquance, les gangs de rue, le trafic de drogue.

L'un d'eux, Ignacio, avait passé une semaine terré dans sa maison, caché sous un matelas, protégé des balles perdues. Quand il sentit que le danger était loin, il sortit de sa cachette et découvrit les corps inanimés de ses parents, le visage cireux, liquidés pour avoir été témoins d'un massacre perpétré quelques jours plus tôt. Le jeune avait fui avec d'autres membres de sa famille. Une fois dans la capitale, ceux-ci avaient été contraints de l'abandonner. La rue devint sa deuxième maison jusqu'à ce qu'il soit accueilli à la Ciudad de los niños, un village pour enfants de la rue.

Je voyais ces jeunes comme les victimes innocentes d'un conflit à grande échelle. Les causes de leurs malheurs étaient politiques, j'en avais la certitude. Je cherchais malgré tout à trouver dans cette misère humaine des signes d'une libération à venir. Des éclats de beauté, qui parviendraient à nous faire oublier, un moment, la tristesse de tout le reste.

Au souvenir de ces visages d'enfants se mêlait parfois le tien.

* * *

À force d'emballer mes souvenirs, des plus anodins aux plus signifiants, mon appartement se défaisait peu à peu de mon identité, comme s'il affichait sur ses murs cet avenir où je n'avais plus ma place. Je feuilletai mes carnets, jetai un dernier coup d'œil aux photos pêle-mêle dans la boîte à chaussures. Quand avais-je donc cessé d'avoir le courage de voir le monde à travers mon appareil? Quand avais-je perdu la force de le réinventer, de lui offrir une beauté qu'il n'avait peut-être pas? Une beauté qui était cachée, hors champ, ou qui ne se révélait qu'à ceux qui pouvaient la dénicher, dans le regard résigné d'un enfant, dans la pousse verte d'un arbre décimé par une bombe, dans le sac de sable éventré au coin d'une rue, couvert de pisse, qui servait de perchoir aux oiseaux. Avec le temps, j'avais cessé peu à peu d'offrir aux magazines et aux journaux pour lesquels je travaillais la laideur qu'ils recherchaient. Celle qui frappait l'imaginaire, qui suggérait le pire, sans les mots pour tempérer l'amertume. Lassée de vendre des bouts de guerre et de misère pour nourrir l'impuissance des lecteurs. Je me souviens très bien du moment où j'ai décidé de délaisser l'urgent tumulte du présent pour me réfugier dans la quiétude de ma mémoire. Peut-être pour retrouver ceux que j'avais égarés en cours de route. Quitte à devoir m'inventer des souvenirs.

Avant d'être forcée à tout quitter, je devais te voir. Te revoir. Te dire où je serais. Et surtout où je ne serais plus.

Depuis des années, Guillaume tentait de recomposer le fil des événements qui avaient conduit à la mort de sa mère dans un accident d'auto, survenu durant l'été chaud de ses douze ans. Une escapade sur la côte est américaine, coïncidant avec une période caniculaire particulièrement éprouvante. «Ta mère a besoin de repos», lui avait confié sa tante, pour justifier le fait qu'elle prenait des vacances sans lui – ou de lui, la nuance entre les deux lui avait toujours échappé. Puis l'affreuse nouvelle qui lui avait été annoncée un peu brusquement : «Ta mère ne reviendra pas.» Une mauvaise manœuvre sans doute, un face à face fatal sur une route sinueuse menant à la mer. «Ta mère ne reviendra pas.» Un verdict trop violent pour qu'il y croie, pour qu'il se fasse à l'idée. Il n'avait d'ailleurs jamais revu son corps. Aux funérailles, ce qu'il restait d'elle n'était qu'une urne à côté de laquelle on avait posé son portrait.

La chaleur suffocante de cet été-là lui avait fait vivre ses premiers épisodes d'angoisse. Au départ, on attribuait ces serrements de la gorge à la pollution, aux allergies, à l'asthme et, pourquoi pas, à une sensibilité émotive trop grande pour un garçon de son âge.

Il avait dû consulter divers thérapeutes, en vain. Il avait passé l'été chez ses cousins, en banlieue sud de Montréal, à rêver d'un retour inattendu de sa mère et à espérer une brise fraîche, si bien que les deux attentes finirent par se fondre dans son esprit en une seule angoisse suffocante, pérenne, mal soignée par une surdose d'antihistaminiques.

Recréer le tracé du visage de sa mère était depuis devenu pour lui une obsession, une façon de le caresser de la pointe de son stylo. Une façon de se rapprocher d'elle, de se souvenir de ses traits, au-delà des rancunes et de la colère inexplicable qui montait parfois en lui. Le dessin mouvant de son visage, comme un souvenir qu'on réinvente chaque fois qu'on se le remémore, de peur qu'il faiblisse avec le temps. Il esquissait une figure d'abord imprécise, qui peu à peu prenait forme, au fur et à mesure qu'elle devenait fidèle à l'impression qui l'habitait. Ce portrait, il le refaisait souvent, le vieillissait au fil des ans en s'inspirant des femmes qu'il rencontrait, en qui parfois il reconnaissait sa mère. Ces dernières années, il y ajoutait de fines lignes au coin des yeux, d'autres aux commissures des lèvres.

Cet après-midi de mars, sa mère lui était apparue sous les traits d'une femme venue boire un thé au café où il travaillait. Elle avait poussé délicatement la porte, percutant un peu trop vivement le carillon suspendu dans l'entrée dont le tintement aigu contrastait avec le calme de sa voix : « Bonjour ! C'est ouvert ? Je peux boire un thé ? » « Oui, bien sûr, entrez ! » De toutes les femmes qu'il avait l'habitude de croiser, celle-là ressemblait le plus à sa mère telle qu'il l'imaginait. Solitaire, indépendante, la soixantaine bien assumée par ses cheveux grisonnants qu'elle refusait de teindre. Dans la cambrure de son corps, il devinait les coups encaissés avec force et résignation. Une sorte d'hésitation dans sa démarche pouvait passer pour un signe prématuré de vieillesse. Il y voyait plutôt une maladresse touchante, qui l'incitait à vouloir la protéger.

Il avait observé discrètement chacun de ses gestes, chacun de ses membres. L'enflure de ses mains, qui laissait deviner des articulations douloureuses. La façon précautionneuse avec laquelle elle avait accroché son sac à main au dossier de la chaise. Elle en avait tiré un livre impossible à identifier par sa couverture blanche et elle l'avait ouvert délicatement, en pressant de sa paume la reliure comme pour l'assouplir. Puis elle avait entamé sa lecture. Une page lui servait de signet, sur laquelle elle avait griffonné quelques notes. Il lui avait apporté son thé, l'avait déposé discrètement sur le coin de la table, de peur d'interrompre sa lecture. Elle n'avait même pas levé la tête tant elle paraissait absorbée, mais avait pris soin de recouvrir de sa main un petit bout de feuille noirci de mots tenus secrets.

Guillaume n'avait conservé de sa mère que quelques reliques, dérobées secrètement le jour de leur séparation dans le tiroir de sa commode. Le jour de la promesse d'un «Au revoir, je reviens dans deux semaines, mon amour» jamais tenue. Des objets d'apparence insignifiante qui avaient acquis une importance démesurée, presque fétiche. Une collection de cartes postales vierges (des villes visitées? des projets de voyage? des souvenirs d'un proche?), un porte-clés de Toyota, une vieille bague ornée d'une pierre d'ambre.

Ces objets finirent par lui rappeler la perte de tout ce que sa maison d'enfance avait pu contenir, car il ne restait plus rien d'autre. Tout le reste, tout ce qui appartenait à lui et à elle, à leur monde englouti sans raison : leur vieille vaisselle, écaillée, dans laquelle ils mangeaient des ragoûts faits maison, de la soupe aux tomates Campbell garnie de biscuits soda dont il prenait bien soin de lécher le sel avant de les écraser, ce petit verre à moutarde avec motifs de cartes à jouer dans lequel il buvait toujours son jus de pommes. Les jeux de table dont il manquait des jetons. Ce petit plat en verre dans lequel il y avait toujours des bonbons que personne ne daignait manger, qui passaient l'année agglutinés les uns aux autres. Et ce chaudron à la poignée manquante, sur lequel elle se brûlait toujours les doigts...

Cette absence fut d'abord comblée par un séjour chez ses cousins, par les nuits blanches passées à se faire peur en parlant de Jason – le cadet l'avait convaincu que le maniaque sanguinaire au masque de hockey avait VRAIMENT existé! –, les jours à jouer aux cow-boys et aux Indiens – il avait l'impression d'avoir passé la moitié de l'été attaché à un arbre! – et les minutes à observer les mèches de ses cheveux blonds devenues vertes à force de se baigner dans une piscine trop chlorée.

Pour faire revivre sa mère, Guillaume se plaisait à s'imaginer d'autres histoires qui la transformeraient en une héroïne incomprise dont la mort ne serait qu'un leurre et à qui, malgré tout, il était prêt à tout pardonner... Le scénario de leurs retrouvailles invariablement manquées se récrivait sans cesse dans sa tête, prenait parfois des tournures inattendues sans jamais qu'il aboutisse, comme si cette partie de l'histoire, il la préservait de la fiction pour qu'elle se réalise.

Cela avait eu l'effet d'embraser son imaginaire, déjà vif. Au début de l'adolescence, une de ses tantes chez qui il avait déménagé pour ne pas avoir à changer d'école lui avait offert une photo aux teintes orangées prise dans les années 1970 : on y voyait une jeune femme portant une robe blanche ample, un peu transparente, qui dévoilait de façon presque indécente la pointe de ses seins asymétriques. Elle était légèrement appuyée contre un arbre, affichant un sourire timide, son visage entouré de cheveux châtains bouclés tombant sur ses épaules découvertes. Un portrait de sa mère, paisible, heureuse. Quelques années avant qu'il naisse.

À partir de cette photo-carrefour, la pensée de Guillaume avait l'habitude d'emprunter différents chemins : l'un d'eux le conduisait à imaginer la vie de sa mère dans sa jeunesse. La mode hippie, les escapades improvisées à la campagne, tout ce qu'elle n'avait jamais eu le temps de lui raconter. Elle avait sûrement erré quelque temps, vécu l'amour libre. Rencontré un homme, des hommes. Lequel d'entre eux était son père ? Il l'ignorait, elle l'ignorait sans doute elle aussi. Pour se souvenir d'elle, Guillaume n'avait pas d'effort de remémoration à faire. Il avait tout à inventer.

Un autre chemin le conduisait à imaginer les rondeurs de son corps, les coups que lui, bébé, lui infligeait vers la fin de sa grossesse. Ce jour d'avril où les médecins l'avaient arraché à elle avec des forceps, comme le lui avait raconte sa tante, parce qu'il tardait à se présenter. La question « Veux-tu ben me dire pourquoi est-ce que tu voulais pas venir au monde ? T'as failli faire mourir ta mère ! » était toujours accompagnée d'une caresse derrière la tête, un mélange paradoxal d'affection et de reproches sans doute trop cruel pour être pris au sérieux. Il imaginait l'entrée prématurée de celle-ci dans la vie d'adulte... Ce sentier escarpé l'avait menée il ne savait où. La nuit et les cris d'un bambin, et malgré cette présence envahissante, le sentiment d'une profonde solitude, un abîme psychologique, peut-être... « Pardon, monsieur, vous avez du sucre ? » La voix qui brisa le silence le fit sursauter. Guillaume leva la tête, fixa de ses yeux le regard clair de la dame, lui, embrouillé dans ses pensées. Il lui fallut quelques secondes avant qu'il ne soit capable de répondre, si bien qu'elle le dévisagea, regarda sur le comptoir à la recherche du sucrier. « Euh... oui, un instant... » Il sortit de son état de rêverie, prit le sucrier et, d'un geste maladroit, le déposa sur le comptoir en le poussant vers elle. Elle le regarda un peu amusée, lui fit un sourire complice accompagné d'un air réprobateur en l'aidant à ramasser les quelques grains tombés sur

le comptoir et retourna vers sa table. Sucrer son thé!
Quelle hérésie! Pardonnable... Guillaume replongea
dans son cahier, se remit à dessiner le chemin qu'il était
en train de tracer avant d'être interrompu. L'abîme,
peut-être... Il traça quelques rochers, aux pourtours
approximatifs, et loin devant un grand vide. La mer?
Sa naissance? Mettre une image sur la douleur de sa
mise au monde qui avait tout d'une mort prématurée.
Imaginer la fuite comme unique moyen d'y échapper...

Sa présence, son absence hantaient chaque
visage qu'il tentait de dessiner. La perte l'étouffait,
le confrontait à tout ce qui était éphémère, tout ce
qui lui échappait. L'apparition d'une femme, dans
ce café où il travaillait. Une femme à qui il servira un
thé. Une femme à qui il n'osera jamais parler. Ou avec
qui il échangera des banalités. Et qui partira. Et ne
reviendra sans doute jamais. Chasser cette idée de son
esprit. Celle-ci boit du thé sucré, une autre porterait un
foulard crème dont Guillaume ne pourrait détacher les
yeux. Se souvenir des contours de leurs visages, les faire
se croiser sur une toile, sur une feuille, marquer leurs
empreintes dans des teintes diffuses, douces, sur fond
blanc. Se faire croire, pendant qu'il les dessine, qu'elles
sont à lui, qu'elles lui appartiennent. Enfin se délecter
du plaisir de prendre conscience que ni lui ni le temps
n'ont d'emprise sur elles. Pour réinventer le visage de
sa mère, il sentait le besoin de s'arrêter, de vivre un peu
à l'écart du monde. De marquer son paysage de repères
plutôt que de s'abreuver constamment d'inconnu.

C'est en esquissant une ligne d'horizon, la plus
droite possible, que son crayon qui glissait jusqu'alors
facilement sur la feuille se heurta à un minuscule
obstacle. Guillaume le capta du bout de son doigt.
Plutôt que de le jeter sous le comptoir, il le fit rouler
entre ses doigts et l'observa. Un grain de sucre? De
sable? Il pencha sa tête, le regarda attentivement: il

était blanc, presque translucide. Il le lécha du bout de sa langue et, surprise, ce n'est pas un goût sucré qui se répandit dans sa bouche, mais une amertume saline. Un vague parfum d'enfance, sans souvenir précis à y associer. Il dirigea son regard vers le coin du café où la femme était assise. Sa chaise était vide, de la monnaie avait été laissée sur la table, la porte était entrouverte et un vent léger et frais faisait, cette fois, tinter doucement le carillon.

J'avais cessé d'avoir de tes nouvelles plus de trente ans après t'avoir donné naissance. « Laisse-moi respirer un peu. » Ce que tu ne m'avais pas dit alors et que j'avais deviné. Au lieu de cela, j'avais vu, dans tes mots maladroits, distants, dans tes phrases incomplètes, des listes de projets défiler, tous plus loin de moi les uns que les autres. Ce n'était pas notre première séparation. Je caressais l'espoir un peu tordu que ce ne serait pas notre dernière, que ça ne s'arrêterait pas là.

Tes premières fugues remontaient à ta jeune adolescence. Tu ne rentrais pas après un party, je mourais d'inquiétude à l'idée d'entendre frapper à la porte à cinq heures du matin et de voir à travers la vitre givrée non pas ta silhouette chancelante, mais la stature droite, imposante, de policiers venus m'annoncer un accident... Parfois, tu rendais visite à ton père en Ontario, tu me l'apprenais à ton retour.

Les fugues se transformèrent en voyages, en errances qui t'entraînaient de plus en plus loin. Tu connus l'ivresse des longs séjours à l'étranger, ceux dont tu m'annonçais la destination de façon assez approximative (« L'Inde ! », « L'Ouest ! ») et d'où me parvenaient des nouvelles, un soir d'ennui ou d'inconfort... Je reconnaissais mon fils, qui, étirant l'élastique au maximum, finissait toujours, bon an mal an, par revenir vers moi. J'entendais d'abord un silence au bout du fil et un « maman !? » qui venait dissiper, par la familiarité de ces deux syllabes, presque toutes mes inquiétudes.

Puis il y eut d'autres voyages, dans la jeune vingtaine. Des errances, en ville, à Montréal, à San Francisco, à Vancouver. Ailleurs, sans doute. Des jours sans logis, où tu te plaisais à imiter la vie de bohème que tu avais connue et savourée là-bas. Le Canada n'était pas l'Inde, ta misère ici te gelait les doigts, te rendait malade, te laissait seul, sans la solidarité naturelle et spontanée des voyageurs qui se payent le luxe de la pauvreté – la simplicité, dit-on? – pendant quelques semaines. Tu n'avais plus la chance d'être loin. Tu dormais où tu pouvais, je le devinais. Tu connaissais le confort incertain des voitures, la froideur des bancs de parc, à l'abri de la pluie, sous un arbre... Tes abus d'alcool devinrent des abus de drogues dont j'ignorais les noms. Tu t'en sortais, revenais vivre avec moi jusqu'à ce que tu ailles mieux, puis repartais à neuf... jusqu'à la prochaine débâcle. Un jour, tu tombas malade, tu inventais des histoires et y croyais. Un ami eut la présence d'esprit de m'avertir... Il m'avait donné les indications du lieu où tu passais la plupart de tes nuits. Je n'ai jamais su si c'était ton logement, celui d'un ami, ni combien vous étiez à y vivre, à y passer du temps. Un squat.

* * *

Un soir, inquiète d'être sans nouvelles de toi, j'allai à cet endroit où je pensais pouvoir te trouver, un immeuble à la limite du Centre-Sud et d'Hochelaga, près de la rue Notre-Dame. Je me trompai d'abord d'adresse, entrai dans le bloc d'à côté où deux entrées donnaient sur la rue : une porte barricadée et une autre, quelques pieds plus loin, arrachée. Un trou béant s'ouvrant sur un escalier gris, sale, des murs couverts d'affiches de concerts punks et de graffitis. Excess starts here, disait l'un d'eux. Une adresse écrite avec de la peinture en spray noire au-dessus du portique. De vieilles boîtes aux lettres toutes différentes posées au fil des ans les unes à côté des autres dans la cage d'escalier, où pourrissaient de vieilles circulaires.

Ta présence dans ce lieu m'aurait curieusement rassurée. J'entrai, je montai les marches avec une délicatesse déplacée, comme si j'avais peur de réveiller un bébé. Presque arrivée en haut, j'entendis un chien japper, un gars crier « Ta yeule ! », et je vis surgir dans le cadre de la porte un jeune homme qui me sourit, la bouche aux dents brunies, la barbe longue, éméché, une casquette kaki enfoncée sur la tête et un kangourou noir autour de la taille. Le visage couvert de tatouages, comme les Maoris. « Vous êtes pas à' bonne adresse, madame ! » me dit-il avec un large sourire, d'une politesse un peu trop forcée. J'aurais pu me mirer dans ses yeux tellement ils étaient vitreux... « Je cherche mon fils, Maxime Cloutier. » « Cloutier ? Max, y est pus là, pichh », fit-il, imitant la prestidigitation d'un magicien : « Max, on l'a pas vu depuis longtemps... » Je vis passer dans ma tête les images les plus tragiques : ton corps inanimé, gisant quelque part, sans que personne ait remarqué ta disparition. Ton corps criblé de balles pour une dette d'argent. Recroquevillé sous un pont ou rejeté par le fleuve, sur les berges, jusqu'au jour où il est découvert par hasard par un joggeur... Plus que tout, je craignais qu'on ne te retrouve jamais. Je prononçai un timide « merci », tournai le dos au jeune homme. Je descendis les marches, éblouie par la luminosité trop vive du soleil dans laquelle je m'apprêtais à pénétrer de nouveau. Arrivée sur le trottoir, un cri d'une voix grave me fit sursauter : « Heille, madame !! » Je me retournai. Le jeune Maori descendit les marches si rapidement que je crus d'abord qu'il les déboulait. « Jeff l'a vu, Max.

Y a une semaine à peu près. Il s'en allait dans sa famille en Ontario, y paraît… voir son père, j'pense.» Quand il se retourna, je me rendis compte qu'il marchait sur le trottoir enneigé en ne portant que des chaussettes dans les pieds.

Des jours plus tard, toute ma culpabilité se concentra sur ce détail : la honte si bête de ne pas lui avoir demandé s'il avait besoin de souliers, de ne pas lui avoir offert de l'argent. Les bonnes excuses fusent, j'avais la tête ailleurs, il en avait sûrement, quelque part, en haut. Prendre ce petit gars comme s'il avait été le mien, m'assurer qu'il n'avait pas froid aux pieds. Si simple et pourtant presque socialement impensable. Pendant longtemps, ce remords se transforma en une certitude : celle d'être et d'avoir toujours été une mère à retardement.

* * *

J'appelai Claude, le père de mon fils dont j'étais séparée mais avec qui j'avais des contacts périodiques. Il me rassura de cette voix qui me plaisait toujours. Il s'était étonné de voir Maxime débarquer chez lui, il ignorait tout de son état. Nous restâmes en contact, il m'assura qu'il allait lui verser un peu d'argent pour qu'il reprenne le dessus… Je savais que cela ne ferait qu'un temps.

«Prenez ça, ça vous aidera à dormir…», m'avait dit le médecin en me donnant une ordonnance de somnifères et une autre d'antidépresseurs d'un ton un peu paternaliste qui, normalement, m'aurait agacée, mais qui, cette fois, m'avait touchée tant je me sentais vulnérable. J'avais plié les ordonnances, les avais précieusement rangées dans mon portefeuille et elles étaient restées là pendant des mois. Un jour, j'allai les chercher à la pharmacie. Je pris quelques somnifères à l'occasion. Jamais d'antidépresseurs. Chaque fois que j'ouvrais la porte de ma pharmacie, j'apercevais le flacon transparent rempli de pilules blanches. Je me décidai à le jeter après la date de péremption.

* * *

Le soir après la visite du squat, je fis un rêve. Sans nouvelles de toi depuis des lunes, j'étais allée vérifier si tu étais toujours en vie. Je frappais à la porte d'un logement dont on m'avait donné l'adresse, laissais passer quelques longues secondes, me disant que tu ne m'avais peut-être pas entendue, puis je sonnais. Rien. Je tentais d'ouvrir, la porte était verrouillée. Je frappais encore sans avoir de réponse. Le seul son qui sortait de ma bouche formait les syllabes de ton nom, prononcé doucement, trop doucement pour réveiller un mort. Je le disais plus fort, le répétais, puis je finissais par le crier en espérant que tu l'entendes à travers la fenêtre adjacente. Rien. Je pensais appeler la police. Eux, ils défonceraient, moi, je n'en avais pas la force. Mon poing droit encore contre la porte : la violence sans doute inutile de ce geste me faisait du bien, parce que la douleur qui me brûlait la gorge et le cœur se déplaçait vers les os de ma main qui avaient quelque chose contre quoi se buter. J'ignorais le regard réprobateur des passants, des voisins, pourtant habitués aux hurlements, aux scènes de rue dans ce quartier. Et si, cette fois, tu en avais trop pris ? J'imaginais ton corps, projeté contre les murs couverts de sang. Les bibelots au sol, les tremblements, les convulsions. Les lèvres bleutées, ta peau, devenue presque translucide.

Au moment où j'étais prête à partir, prête à appeler à l'aide, j'aperçus un mouvement derrière le rideau. Un acteur prêt à se montrer, au-devant de la scène.

Peur. Surprise. Vertige. Une ombre chancelante. Vivante.

L'allumette craqua entre ses doigts et, d'un geste vif, peu maîtrisé, Guillaume la lança dans le vide, comme s'il avait eu peur de se brûler les mains engourdies par le froid. Il suivit du regard le fin tracé de la flamme dans la nuit glaciale. Au contact de l'essence dont il avait aspergé sa toile ratée et des débris de construction, le feu se répandit de façon si violente qu'il fit quelques pas en arrière et leva le bras pour protéger son visage de la chaleur brûlante. Encouragées par le vent à la fois vif et sec, les flammes transformèrent l'amas de planches en bûcher, avant de diminuer en intensité.

La voie ferrée sur laquelle il avait allumé ce feu était abandonnée depuis des années. Guillaume scrutait l'horizon tout en sachant qu'aucun train ne l'emprunterait. Il avait choisi cet endroit où le danger que le feu se propage était minime, situé à quarante kilomètres de la ville. Le ciel au-dessus de sa tête était dégagé, la cime des sapins était éclairée par la blancheur immaculée d'une lune qui, ce soir-là, était toute ronde. Les flammes glissèrent d'abord sur les visages et les corps dont on devinait les contours imparfaits sur les toiles, les éclairèrent une dernière fois de leur chaude lumière avant de les embraser entièrement. C'était une sorte de rituel, une façon de se libérer des déceptions qui l'habitaient.

La violence des flammes et la vitesse à laquelle le feu se propagea contrastaient avec la finesse des gestes qui, coordonnés les uns aux autres, avaient abouti à la réalisation de ces portraits. La veille, la blancheur des traits de la femme qu'il avait peinte se diluait dans des teintes de gris et de noir sous les yeux, qui venaient renforcer la courbe des joues ou au contraire adoucir la carrure de la mâchoire. Le regard à la fois sombre et d'un éclat mystérieux détonnait avec les lueurs qui mettaient en relief l'arcade sourcilière. La toile avait séché toute la nuit précédente et il l'avait observée lentement perdre son éclat le lendemain, légèrement déçu.

De retour chez lui, il regarda d'un air ennuyé les toiles blanches, les pinceaux et les pastels qui l'attendaient dans la pièce qui lui servait d'atelier. Des installations qu'il avait montées, qui en sortiraient pour quelques semaines, pour quelques spectateurs qui n'en comprendraient souvent qu'une facette, plus loquaces au sujet du temps qu'il y avait consacré qu'à celui de leur interprétation. Fatigué de ne présenter ses toiles, ses installations qu'à ses connaissances. Des installations qui, sitôt démontées, seraient recyclées, tout juste après avoir été immortalisées par des photos qui ne rendraient pas vraiment ce qu'elles étaient. C'est dans cet esprit qu'il avait peint sa dernière toile. Il avait tenté de reproduire le visage d'une jeune femme qui chantait la veille au Café d'Ailleurs, où il travaillait. D'imaginer son corps qu'il ne verrait sans doute jamais. Les deux idées étaient intimement liées : la réalisation improbable de cette œuvre, la réalisation encore plus improbable de cette relation fantasmée. Ne restait que la pureté du geste qui, assommé par le découragement, avait été cette nuit-là fuyant et incertain.

Au réveil, seule l'ombre du chevalet le protégeait de la lumière du soleil. Un rayon se détachait des autres dans lequel dansaient d'infimes particules de poussière. «Je ne serai jamais capable de me lever…», se dit-il, en regardant la bouteille de scotch à moitié vide, qui semblait vouloir le défier, son verre encore rempli d'un liquide passé de l'orange au jaune pâle, noyé dans la glace fondue depuis des heures. Tiède. Déshydraté, il eut le réflexe d'en prendre quand même une gorgée, puis fit une grimace de dégoût. Il plissa les yeux pour voir l'heure à l'autre bout de sa chambre : 14 h 06. Il fallait au moins qu'il sorte avant que la nuit tombe ; le ciel allait commencer à s'obscurcir. Il regarda par la fenêtre : le soleil était timide, on aurait dit qu'il était lui aussi passé tout droit. Il enfila le pantalon qu'il avait enlevé avant de se coucher et alla déjeuner-dîner au petit resto du coin – déjeuner du camionneur, 4,99 $: saucisses, patates rôties, fèves au lard, œufs cuits dans le sirop, jambon, et deux tranches d'orange pour mieux faire passer le gras. Il sourit en lisant le nouveau menu « léger » : un œuf, une saucisse, une tranche de jambon, des toasts beurrées au blé entier, un jus d'orange. Il avala tout ce que contenait son assiette en lisant le journal. Il pensa à la fille qui donnait un spectacle la veille au Café d'Ailleurs et essaya de se souvenir de son prénom. Andréane ? Ariane ? Non, non... Audrey !

Guillaume avait servi à boire aux clients, écouté les discussions des habitués et les mélodies de cette musicienne qui y jouait pour la première fois. Les gens l'écoutaient distraitement. Dans les visages des clients, il voyait des traits texturés par des parts d'ombres découpées d'éclats de lumière. Des visages poreux sur lesquels se reflétait une lumière caravagesque. Contre l'ordre quasi machinal des gestes de serveur qu'il répétait et enchaînait sans même y penser s'opposait le désordre des corps, de leurs mouvements tantôt mous, tantôt brusques. Des visages défigurés par l'alcool, grimaçant à la moindre bribe d'émotion, sourds au spectacle qui se jouait devant eux. Un claquement de doigts, et Guillaume revenait dans le monde des clients et du service. Il pouvait faire son shift entier en souriant, en servant, en retenant les commandes, en blaguant, en feignant un bonheur presque contagieux qui frôlait la drague – ce qui lui rapportait chaque fois un gros pourboire. Pendant ce temps, dans sa tête, d'autres scènes se jouaient. Par-delà les tables, les demandes des clients, le bruit ambiant, il y avait çà et là quelques îlots de silence. En observant cette jeune femme, il avait eu l'impression qu'elle les entendait, elle aussi. Tout était dans l'éclat de son foulard crème peut-être, qui contrastait avec les habits sombres des autres clients, ou dans son sourire distrait pendant que son regard errait ailleurs. Il l'avait observée toute la soirée, comme un modèle à peindre, à se remémorer quand elle ne serait plus dans son champ de vision.

Une carte postale de la côte ouest américaine montrant un motel et, comme une invitation à plonger dans la mer, un quai fouetté par les vagues. Elle m'avait été envoyée il y a quelques années. Je vérifiai la date pour en être certaine, pour être sûre que ma mémoire ne m'avait pas joué de tours. À l'endos, j'avais relu avec le sourire ces quelques mots : « Je pense à toi mom ! Enjoy ! Max. xxx »

La vue d'un paysage de bord de mer m'avait donné le goût de partir. J'avais décidé de prendre quelques jours de repos, loin de mes boîtes et des démarches pour me trouver un nouveau logement. J'avais pris le bus et m'étais enfuie aux États-Unis. Pas très loin, non, à quelques heures à peine de Montréal. Pour me rapprocher de mon fils, j'avais tenté de l'imiter. De tout laisser derrière, du moins pour quelque temps, en me faisant croire que ce serait pour toujours. Pour combler son absence, je m'étais dit que j'écrirais son histoire dans un cahier, la ponctuerais d'adjectifs pour mieux cerner l'émotion, l'impression de chacun des souvenirs qu'il avait laissés en moi, comme si à eux seuls ils pouvaient renfermer l'éventail des expériences et des sensations humaines. Mais déjà ma propre lâcheté me désolait : j'avais tout quitté en laissant à ma sœur l'adresse de la maison où j'avais loué une chambre, le numéro du propriétaire, la date probable de mon retour. Partir seule, sans laisser de traces, je n'en aurais sans doute pas eu le courage.

En descendant de l'autobus, je sentis l'humidité de l'air et j'aperçus quelques flocons tomber, sitôt bus par l'asphalte noir. J'empruntai la rue principale à pied, je regardai derrière moi comme pour m'assurer de ne pas être suivie. Puis je me sentis ridicule. Le temps de prendre quelques grandes respirations, des larmes commencèrent à couler sur mes joues, je me sentis soudainement fatiguée et déjà, cette explication m'apparaissait comme une excuse pour me convaincre que ma tristesse soudaine était due à la fatigue. Quelques pas, quelques grandes respirations… rien à faire, la peine était toujours là. Elle montait en moi pour me picoter les yeux. D'autres larmes se mirent à couler le long de mes joues jusque dans mon cou. Je pensai alors avec découragement aux teintes qui allaient se diluer sur mon visage : le noir posé sur mes paupières, le rouge sur mes pommettes. Et le beige laiteux du cache-cernes tamponné sous mes yeux.

À petits pas, je défaisais l'uniformité du paysage, avec la vague impression de le gâcher un peu. « Lève la tête, regarde le ciel ou au moins les adresses sur les portes, tu vas te perdre… », m'ordonna une voix dans ma tête. Celle de ma mère, sans doute, qui surgissait toujours pour me faire des reproches cachés derrière des airs d'inquiétude. Ou était-ce l'inverse ?

J'avais franchi la frontière canado-américaine à peine une heure plus tôt. Je me sentais pourtant déjà très loin, catapultée dans cet univers à la fois familier et étranger. Familier parce que ce petit village ressemblait à bien d'autres villages québécois où je louais une maison de campagne à l'occasion. Étranger parce que les façades des commerces m'étaient inconnues, les insignes, le lettrage utilisé, plus grand que dans les villes des Cantons-de-l'Est, les minuscules drapeaux américains sur les pare-chocs des voitures, aux côtés des bumper stickers… Le cachet feutré des maisons victoriennes côtoyant les néons aveuglants des pit stops, des chaînes de fast-food, des garages. Un sentiment d'étrangeté inexplicable pour un lieu si peu lointain.

J'étais sur la trace de mon fils. Sur une trace imaginaire, bien entendu, car j'ignorais où il se trouvait. Mais partir comme lui me faisait du bien, ne serait-ce que pour suivre son ombre, goûter un peu l'excitation du départ, me faire croire que nous vivions un peu la même chose, à défaut d'être ensemble.

Ses fugues causaient toujours des « dommages collatéraux ». Résultat : quelques blessés. Des innocents. Des âmes moribondes qui finissaient par être ramenées à la vie. Tristes de ne pas avoir compris pourquoi sa renaissance passait par leur sacrifice. Ce quelque chose comme « je mérite mieux que vous » qui nous blessait profondément et nous paraissait à jamais impardonnable.

La neige avait déjà effacé les traces de pas d'un homme qui marchait devant moi. Je distinguais au loin la tache chancelante de sa silhouette. Je passai sous un autre lampadaire, puis replongeai dans la noirceur. Le suivant projetait une lumière vacillante, hésitante. Le poteau qui le portait était penché. La semaine précédente, un camionneur avait roulé sur un objet cloué, laissé sur la route, et, après avoir perdu la maîtrise de son véhicule, avait percuté le poteau de plein fouet. Dans la violence du choc, sa tête avait fracassé la vitre. L'homme était mort sur le coup, la vitre transformée en toile d'araignée rougie par le sang. Des fleurs posées à sa mémoire peinaient à tenir sur leurs tiges ramollies par la pluie.

Je regardai distraitement la photo de l'homme au-dessus de laquelle un proche avait écrit un message rendu illisible par la neige fondante des derniers jours qui en avait fait couler l'encre. La feuille était traversée par de longues gouttes qui avaient, une à une, brouillé les lettres. Je profitai de cet arrêt pour prendre un peu de neige dans mon gant, le passer sur mon visage afin de rafraîchir mes esprits, replacer mes idées dans le bon ordre, comme disait mon père, geler un peu mes émotions. Cinq autres lampadaires me séparaient du petit hôtel où j'avais loué une chambre.

En montant les marches, j'essayai de changer d'air, je me forçai à afficher un sourire, imaginai les mots que je devais prononcer en anglais, un peu rouillée. Par une étrange coïncidence, j'aperçus à travers la fenêtre les mêmes fleurs sur la table de salon que celles qui avaient été laissées au pied du poteau à la mémoire de l'homme mort dans un accident. Il n'y avait sans doute qu'un seul fleuriste au village.

Je jetai un coup d'œil à ma montre, pressai légèrement sur la sonnette étant donné l'heure tardive. Un homme d'une quarantaine d'années vint m'ouvrir, l'air visiblement endormi. La chaleur de la maison me happa d'abord, puis ce fut le parfum, l'essence du bois mélangé à la lavande. Le propriétaire m'accueillit avec un enthousiasme un peu forcé. La résidence était d'une propreté irréprochable. Je fus d'abord gênée du désordre que provoqua mon arrivée, déposai mon sac et ma valise sur le plancher et m'excusai des quelques traces de neige qui vite se transformèrent en une flaque d'eau sale. J'accrochai mon manteau dans la penderie, puis enlevai mon foulard qui me serrait un peu le cou et l'accrochai à un cintre. Le propriétaire prit spontanément ma valise et m'invita à le suivre jusqu'à ma chambre, qu'il me fit visiter rapidement avant de me remettre les clés.

Je me couchai sur le lit quelques instants, le temps de reposer mon dos malmené par le trajet en bus. Je m'assis au pied du lit, levai les yeux vers le miroir et fus gênée de ce que j'y aperçus : mon visage était coloré par le rouge de mes joues et strié de lignes noires laissées par les coulisses de mon maquillage. Je passai l'index sous mes yeux, comme pour essuyer des larmes imaginaires. Un peu honteuse, j'espérai que l'éclairage tamisé de l'entrée n'avait rien laissé voir à mon hôte.

Me rapprochant du miroir pour mieux m'observer, je fus distraite par la trajectoire d'une araignée en train d'y tisser une toile. Je l'observai quelques secondes. L'insecte agitait ses pattes fines, comme pour achever sa besogne avant de remonter. «Je pourrais te tuer, t'écraser, laisser l'empreinte de ton corps contre le miroir et le reste, ta carcasse vide écrasée dans un mouchoir, je n'aurais qu'à la jeter dans les toilettes...» Je me remis à observer mon visage, pendant que l'araignée remontait. Des vaisseaux rouges dans le blanc saillant de mes yeux, cils du bas entremêlés. L'un d'eux tombé sur ma joue. «Fais un vœu!» Les paupières humectées. Mes yeux se détournèrent, à la recherche de la bestiole. Celle-ci avait disparu. Du coin de l'œil, j'aperçus de nouveau la forme ovale de mon visage. Le fil d'araignée semblait le diviser en deux. Recoller les morceaux. En faire une image, indivisible. Je reculai d'un pas. Je sentis un chatouillement sur mon épaule. Je m'infligeai une gifle comme lorsque l'on veut chasser à jamais un moustique. En vain, il n'y avait rien. Je jetai un dernier coup d'œil dans le miroir et crus deviner, dans les traits de cette femme vieillissante devant moi, quelque chose d'étrangement familier. Le visage de ma mère, peut-être. Je jetai une serviette sur le miroir, comme on recouvrirait le visage d'un mort à la morgue après l'avoir identifié. Ça y est, je suis folle, me suis-je dit.

J'allai me faire couler un bain chaud et j'y restai de longues minutes. Je tentai de faire des plans pour le lendemain. À peine ressortie, je me couchai dans mon lit, j'ouvris un cahier et me mis à écrire.

L'histoire de mon fils me venait par bribes. J'avais souvent tenté de comprendre les circonstances de sa dérive. De l'un de ces appartements où nous avons vécu, de la fragilité de ce bonheur à deux, aux tourments d'une adolescence où j'étais passée d'idole à ennemie. Chiante. Envahissante. J'avais chaque fois échoué, apeurée devant l'immensité de la tâche qui m'attendait, rattrapée par le quotidien qui grugeait chacune des minutes de ma journée. Et, curieusement, c'est sans doute dans ces moments que je le comprenais le mieux. Lorsqu'aucun instant, aussi minime soit-il, ne pouvait se soumettre à mon désir d'évasion, lorsque tout me ramenait ici-bas, les cris des gens, des enfants, les tâches qu'on s'impose, les moments attendus, les autres...

Incapable d'écrire... Pourtant, toute ma vie j'avais écrit, ou plutôt récrit les mots des autres. J'avais d'abord travaillé comme photojournaliste pour ensuite exercer le métier de traductrice : mon titre officiel, qui me permettait d'exister socialement et d'avoir un revenu plus stable ; je travaillais à la pige, pour mieux me terrer dans ma vie d'ermite sans trop avoir à la justifier. Je ne supportais plus cette apparente liberté qu'on m'enviait tant d'accepter ou pas des contrats. J'avais refusé les derniers qu'on m'avait offerts, par défi. Écrire pour parler de mon fils était devenu une nécessité aussi grande que cette fuite déguisée en courtes vacances.

J'ignorais si j'allais être capable de mettre les mots dont je rêvais sur la vie trébuchante de mon fils. *Traduttore traditore.* L'impression de le trahir me hantait, tout comme celle de violer son intimité. Recomposer son histoire à partir de morceaux, c'était trahir sa volonté de rompre avec son passé, c'était l'embellir contre son gré. Ce serait, de toute façon, une histoire inventée.

Au fond, peut-être mon fils avait-il eu raison? Raison de partir pour ne plus être celui que l'on quitte... De voyager ou plutôt d'errer, ne rien faire, mais ailleurs, sans juge ni témoin. J'avais passé ma vie à tenter de décrypter celle des autres, de comprendre leur pensée, de la transcrire pour que d'autres encore puissent la comprendre, la saisir et se l'approprier à leur tour. Jouer le rôle de passeur dans l'ombre sans jamais qu'on me reconnaisse... Fatiguée, je rêvais maintenant d'aller encore plus loin, à la rencontre de ces langues dont je ne comprenais pas un traître mot. Simplement pour me laisser bercer par leur musique, par l'éventail de leurs tonalités, pour n'y entendre qu'un chant, une plainte, celle de l'humanité tout entière qui se parle à elle-même. Cette idée d'un départ plus grand faisait du chemin dans mon esprit.

Le lendemain, à mon éveil, en regardant par la fenêtre, par-delà le toit des maisons avoisinantes, j'aperçus une fine ligne bleue d'une longueur de deux centimètres : la mer, que la noirceur de la veille ne m'avait pas permis d'admirer. L'horizon coincé entre deux bâtiments, dont le vent laissait deviner l'agitation. Le lien ténu qui se dessinait lentement entre mon fils et moi, entre le passé de celui-ci – sa fugue – et la quête qui ponctuait notre présent à tous les deux. Le lien ténu entre tout ce qui, dans la vie de mon fils et moi, me paraissait depuis toujours intraduisible par les mots.

« Time flies », m'avait dit l'aubergiste. Mes boîtes m'attendaient à mon retour. Mon court voyage n'avait pas altéré mon irrépressible besoin de procrastiner. Je fuyais mes responsabilités en rêvassant, en espionnant ma voisine, en qui souvent je me reconnaissais. Par la fenêtre, je la voyais cuisiner, elle passait du four à l'évier, lavait tout au fur et à mesure de façon un peu compulsive. Elle jouait du piano, j'entendais parfois l'écho de notes, le début d'une mélodie, puis tout s'arrêtait.

Je la regardais comme si elle était mon reflet dans le miroir. Elle aurait pu être ma fille. J'avais l'impression de le traverser, ce miroir, de me mouvoir dans le corps d'une autre en ressentant chacun de ses gestes, comme si je les avais moi-même posés. Je devinais aussi ses sentiments, ses peurs : peur pour son avenir, peur pour celui de ses futurs enfants. Peur de manquer de temps, de voir la vie passer trop vite. Peur de ne plus jamais revoir ses parents. De reproduire leurs erreurs, de ne pas connaître leur bonheur. Ses rideaux ouverts encadraient cette scène de théâtre dont elle ignorait être la jeune première. Je devinais parfois qu'elle m'épiait, elle aussi et, comme toute bonne actrice qui reste indifférente à l'œil du spectateur, je feignais d'ignorer ce regard. Elle se demandait sans doute à l'inverse ce qu'une femme seule comme moi, dans la soixantaine, pouvait encore attendre de la vie. Quand il m'arrivait, par pur hasard, de croiser son regard, celui-ci se tournait tristement, timidement même, en direction de la buée qui s'échappait d'un chaudron et y disparaissait.

Un soir, partie marcher, j'aperçus une jeune mère tirant au bout d'une corde une luge en bois, pareille à celle dans laquelle je traînais mon fils quand il était bébé. Des images enfouies très loin en moi resurgirent dans mon esprit, et soudain je me vis également en elle. Je me souviens très bien de la petite boule emmaillotée que je plaçais contre un coussin, du petit nez qui devenait rouge si rapidement et du foulard qu'il fallait remonter jusqu'aux yeux pour s'assurer que la brûlure du vent glacé ne l'empêchait pas de respirer. Du reflet de la lune sur sa peau, au cœur d'une nuit hâtive de février. Je me suis rappelé cette peur un peu absurde de l'étouffer en le couvrant. Comment savoir s'il avait assez d'air ou, au contraire, trop?

Une fois, fatiguée, je tirais la luge un peu à bout de souffle. Mon accouchement avait été pénible, et il m'a fallu des mois avant de retrouver la forme, la parfaite mobilité de mes jambes, l'aisance de mes hanches. Tout à coup, je sentis le poids que je traînais s'alléger, je m'en réjouis, me disant que je commençais à retrouver la forme… Puis je me retournai et aperçus la petite boule rouge sur le trottoir enneigé, qui avait roulé et était tombée de la luge. Je me précipitai, mon garçon n'avait rien, il s'était à peine éveillé! Je le remis bien en place, regardai autour pour m'assurer que personne ne m'avait prise en défaut…

* * *

J'ai toujours cru que ceux qui voyaient dans la brièveté de la vie le signe qu'il fallait brûler les heures et les remplir de tout et de rien n'avaient pas connu cette violente enfilade des jours à courir, à tout donner, à chercher son souffle, à se faire bousculer pour finalement mourir d'inquiétude. Ils n'avaient pas connu non plus les minutes infiniment longues d'un après-midi d'hiver passées à rassembler quelques reliques d'une vie ordinaire dans l'espace étroit d'une valise.

Je m'apprêtais à partir. La peine (ou était-ce l'ennui, le manque?) me montrait le monde qui, déjà, se mouvait en mon absence, indifférent à ce que je percevais de lui. Je n'arrivais pas de toute façon à bien vivre dans ce décalage immense entre la vie, l'intelligence, les sentiments des gens que je côtoyais au quotidien et cette médiocrité ambiante à laquelle nous finissions tous par nous conformer. Tout ça pour ça? Ce monde n'était pour moi qu'une fiction à laquelle nous nous soumettions comme si rien d'autre n'était possible. Comme si nous manquions lamentablement d'imagination.

Mais la tristesse que je décelais chez les autres, leur vie que je percevais comme fausse et inutile... Qui étais-je pour en juger? Il y avait dans ces jugements rapides l'insécurité d'un être, le mien, préférant croire que sa richesse intérieure était bien supérieure à celle des autres. Mais que voyaient-ils donc, ceux-là, en moi? Une femme qui vide son appartement. Malade peut-être, psychiquement ou physiquement. Elle se paye un voyage pour se donner l'impression de vivre librement, de peupler son imaginaire de visages exotiques qui lui feront oublier la banalité du sien. Le rendront singulier. Elle part parce que plus rien ne la rattache ici, elle appelle cela de la liberté, mais au fond, ne s'est-elle pas fait mettre à la porte? Que restera-t-il de ces brefs moments d'ivresse s'ils ne sont pas partagés? En reviendra-t-elle un jour? Qui le saura si ce n'est pas le cas?

Peut-être me jugent-ils ou, pire, ignorent-ils mon existence même! Et si effectivement je mourais avant de partir sans qu'ils s'en rendent compte? Si seule l'odeur de la putréfaction de mon corps venait perturber la routine de leurs jours, de leurs nuits? Une odeur envahissante, qui pénètre dans leurs logements par les bouches d'aération, leur donne des haut-le-cœur, qu'ils tolèrent d'abord, qui les fait se transformer en véritables détectives – cela provient-il du frigo? Du sac à ordures laissé trop longtemps dans la cuisine? De l'évier? Chaque membre d'une famille unie cherche, humant comme des chiens renifleurs le moindre coin obscur du condo, affichant une grimace de dégoût, puis se cachant le nez sous leur gilet, préférant le réconfort de leur odeur corporelle. Ils pensent déjà aux frais que cela occasionnera, à la prochaine réunion de l'assemblée des copropriétaires. Jusqu'à ce qu'ils se rendent à l'évidence que cela provient d'ailleurs, allons voir si la voisine en est aussi incommodée. Sans réponse depuis des jours, ils appellent la police...

Le scénario de ma mort, ou plutôt le récit de ma mortifiante solitude, me hantait. Les dialogues variaient un peu, les séquences des scènes ou la nature des personnages. C'était parfois mon frère qui découvrait mon corps, après avoir défoncé la porte d'un coup d'épaule théâtral, digne des séries policières. Dans l'entre-porte de ma chambre, il remarquait la troublante fixité d'une masse sous le drap, le dénudement d'une épaule bizarrement atrophiée. Étouffé par la peur, dégoûté par la puanteur, il plongeait la main dans sa veste de cuir, se couvrait le visage de l'autre, agrippait son téléphone, composait le 911...

L'anticipation de ce départ avait finalement provoqué en moi un vertige si grand que j'en tombai malade. Durant des jours, je restai alitée, prise d'un épuisement que je n'avais jamais ressenti auparavant. Chacun de mes membres, même au repos, me faisait souffrir, je n'avais plus la force de démêler mes cheveux ni même de me nourrir. Je ressentais un tremblement nullement perceptible de l'extérieur. Comme si mon corps était à la fois branché sur le 220 et paralysé. Je compris plus tard que ce vertige et cette tension avaient été simplement causés par la brutalité de l'arrêt. L'arrêt avant le prochain départ.

* * *

Du plus loin que je me souvienne, mes seules préoccupations étaient ton bien-être, ta vie, notre survie. Comment te nourrir, trois fois par jour. Comment te vêtir correctement pour que rien ne paraisse, pour qu'on ne te remarque pas. Comment te loger pour que tu sois bien, en sécurité, sans que je sois trop serrée à la gorge. Qu'il me reste de l'argent et du temps avec toi. Comment faire pour que tu aies tout, un arrêt d'autobus au coin de la rue, éclairé. Un emploi trouvé dans l'entreprise où un ami travaillait. Ton jugement sévère à mon endroit est aveugle au sacrifice, à l'instinct de survie qui m'a guidée pour préserver l'essentiel, quitte à négliger le reste…

Quand tu disais pouvoir vivre sans moi, tu semblais oublier que, pour avoir l'aisance de te tenir assis, debout ou dans n'importe quelle position exigeant un minimum d'équilibre, pour être capable de porter une bouteille à tes lèvres, il avait fallu que quelqu'un, bassement livré au maternage, oui, que quelqu'un, dis-je, te montre la mécanique maintenant assimilée de ces gestes, et ce, sans compter les heures, sans même penser à l'idée du sacrifice. Sans même que le sacrifice fasse partie de ses pensées ! Si tu veux vraiment savoir, la moindre des choses que tu puisses faire pour ta mère, c'est de ne pas gâcher tous les espoirs qu'elle a mis en toi. De ne pas faire la distinction morbide entre la vie et ta vie, tu sais, cette idée adolescente selon laquelle notre vie nous appartient et qu'on en fait ce qu'on veut? OK, d'accord, j'en conviens, tu as ce droit, il est reconnu, ratifié par les chartes. Mais peux-tu laisser une toute petite place à l'idée d'infini que j'ai portée en moi quand j'étais enceinte de toi, ne pas y mettre fin de façon grossière et, même, chercher, d'une façon ou d'une autre – libre à toi – à la perpétuer? C'est tout ce que je te demande.

Je me vois, étendue sur mon lit, me sens morte en dedans, parais blême en dehors. Ma gorge nouée obstrue mon souffle. Que la honte me paralyse, m'isole, m'avale, que même toi, là, qui m'imagines, tu feignes l'empathie, tu projettes tes malheurs sur moi. Tu veux connaître la vérité? Je n'en peux plus d'imaginer tes cernes, tes yeux vitreux, ta peau bleue, tes paupières rougies. Comment peux-tu vivre en courtisant ainsi volontairement la mort si tu vois ces visages ensanglantés, chaque jour, aux nouvelles? Si tu vois ces bouches affamées? Mais oui, la ritournelle culpabilisante de l'Occident. Encore.

Quel rôle dois-je te donner maintenant? Dois-je t'inventer un destin? Puis-je faire autre chose que te retrouver en t'écrivant, aussi intensément que ces amants qui se sont d'abord connus par l'écriture, que ces poètes qui n'ont écrit que pour nous; oui, tu te rends compte, leurs livres dorment sur des tablettes, des existences pleines, des leçons de vie, des hommes égorgés, passionnés, complexés, des femmes abattues, aventurières, misérables, tout cela dort dans des pages qui sentent le renfermé. Et toi, quelle trace as-tu laissée?

Il y a dans ces livres des appels à l'aide, des cris de joie, d'amour, il y a des invitations, des perches tendues. Il y a des phrases qui ne demandent qu'à renaître ailleurs, il y a des héros qui s'ennuient, ne souhaitent que braver le danger dans l'esprit d'un adolescent attardé.

Mon envolée n'avait d'autre destinataire que moi, je le devinais bien, car il y avait longtemps que j'avais perdu le lien qui m'unissait encore à toi. Ceux qui sont nés et les autres, morts dans mon ventre, qui ont agonisé dans une longue coulée de sang entre mes jambes, ne m'entendaient pas. Dans cet appartement que je m'apprêtais à quitter, j'avais perdu toute notion du temps, sans possibilité de percevoir le monde extérieur, ni de le laisser venir à moi. Mon téléphone était déchargé, et je n'avais, depuis des heures, pas croisé âme qui vive. Je ne côtoyais que des spectres longeant, comme moi, les murs, apparaissant au détour d'un corridor ou attendant au pied d'une porte, et qui s'animaient dans les coins les plus obscurs de ma pensée.

* * *

Pour me sortir de cet état, je cherchai par tous les moyens à revivre l'émerveillement de mon premier voyage. L'anticipation nerveuse. La noirceur, puis une matinée lumineuse. Le bruit des casseroles, celui des râteaux qui grattent le sol gazonné. L'odeur des fruits mûrs ou de la friture. Le chant étrange des oiseaux. Le vent chaud du printemps. Mal de tête. Comment fonctionne ce téléviseur. Tiens, Colombo. Le plancher est d'une saleté qui ne me dérange pas. La nuit tombe de nouveau, j'allume ma lampe de chevet. Je lis, nerveuse. Puis j'éteins et je découvre, avec une attention qui, peu à peu, s'affaiblira au fil des nuits, les bruits qui habitent l'obscurité de cette ville inconnue. J'entends les souris courir dans les murs. Dans les draps frais, je m'enroule. Comme si quelqu'un me serrait dans ses bras.

Au retour, c'est toujours la même histoire, les différences me sautent aux yeux ; cette fois, c'est la taille des fenêtres de mon appartement qui me trouble, le motif des planchers. La hauteur du plafond. Au réveil, j'observe la lumière du matin. Elle est identique, où que je sois.

Je m'étonne de la facilité avec laquelle, malgré tout ce temps passé ailleurs, mon corps se rappelle les gestes anciens. Qui redeviendront vite inconscients. Se dissiperont dans le désordre de ma mémoire.

* * *

Le passé me rattrape, un souvenir heureux me happe comme une vague à laquelle on ne s'attend pas. À la vue d'une autre carte postale montrant un bord de mer, le visage souriant d'une femme croisée dans un resto-bar resurgit. C'était il y a des années, pendant les vacances. Elle m'avait remarquée, mon très jeune enfant assis à mes côtés. Mes yeux cernés et rougis peut-être, mes cheveux ramassés en vitesse en un chignon imparfait, la brusquerie de mes mouvements pourtant portés par une certaine lassitude. J'avais pris un café, mon fils un peu turbulent frappait sur la table avec une cuillère, j'étais trop dépassée pour tenter de le calmer, je soupirais, levais les yeux au ciel sans toutefois avoir la force de le gronder, de tenter de le maîtriser.

Nous étions dans une ville côtière de l'Est américain. La jeune femme venait de terminer sa prestation, rangeait sa guitare dans son étui. Le petit resto où nous étions offrait aux artistes des alentours de venir répéter devant le public. Avant qu'elle commence à jouer, on lui avait servi une assiette qu'elle n'avait pas terminée, il restait la moitié d'un énorme sandwich et des frites salées que mon fils zyeutait sans gêne. Dans un élan de générosité spontanée, et sans doute pour se défaire de la culpabilité de gaspiller de la nourriture, elle me l'avait offert sans même le vernis de la pitié camouflé derrière un sourire hypocrite. « C'est ma sœur », avait-elle dit à la serveuse, un peu apeurée à l'idée de se faire reprocher par le gérant de perdre une commande. Je lui avais souri, peut-être pas assez, étonnée par son geste et son œil à la fois franc et complice. De tout ce qu'elle avait sans doute deviné en me voyant. Elle sortit, et je levai la tête vers le tableau qui annonçait les prestations de la journée. Son nom avait été effacé. Ne restait d'elle qu'une musique et son regard plongé vers le sol, parfois dans les yeux de ses spectateurs, quelques secondes à peine. Que ce plat de frites qu'elle nous avait donné et dont mon fils s'empiffrait, les joues déjà barbouillées de ketchup. Le lien qu'elle avait établi entre nous et qui avait, ce jour-là, brisé ma solitude.

Je me rappelle qu'avant que nous quittions l'endroit un autre musicien prit place sur le banc, laissa glisser ses doigts sur les touches les plus graves de son piano et approcha lentement sa bouche du micro. Entre deux accords, il interrompit son morceau, prit une gorgée de café, comme s'il était seul dans son salon. L'unique son audible à ce moment fut le rythme infiniment lent d'un vieux métronome posé devant lui. Accordé à celui, en sourdine, des vagues qui semblaient vouloir battre la mesure contre le récif.

Suivre les traces de sa mère devint tout naturel pour Guillaume. Retourner sur les lieux de l'accident, pour observer les derniers paysages qu'elle avait vus, pour sentir le même air salin qu'elle, avant qu'elle perde le contrôle, que le véhicule dérape et en frappe un autre en sens inverse. Sa tante lui avait fourni des indications assez précises sur le lieu où le tragique événement s'était déroulé. Elle y était allée, elle aussi, par le passé. Une sorte de pèlerinage nécessaire.

Il prit sa voiture en direction du Maine, de cette petite ville côtière, la dernière que sa mère avait visitée. Celle-là même où elle avait trouvé refuge, sans lui. Il écouta de la musique tout au long du trajet, s'imprégna des paysages à la fois familiers et étrangers. Familiers parce qu'ils ressemblaient tant à ces souvenirs d'enfance inscrits dans sa mémoire, quand sa mère l'emmenait avec elle faire des escapades de quelques jours au bord de la mer. Étrangers parce qu'il peinait à reconnaître les lieux qu'il avait pourtant vus assez souvent. Défilaient sous ses yeux des maisons ancestrales à l'abandon, et quelques mètres plus loin, des trailer parks où les gens s'étaient résignés à vivre après la dernière crise. Des centres commerciaux à l'abandon, comme des promesses jamais tenues d'un bien-être à venir.

Il se souvint avec amusement d'une de ces escapades au bord de la mer. Sa mère s'était procuré de l'équipement de camping. C'était la première fois qu'ils en faisaient. Guillaume s'était rapidement fait des amis sur le terrain. Un de leurs jeux consistait à suivre à la course, sous le regard amusé des parents, un épandeur à pesticides censé faire disparaître les moustiques particulièrement voraces cet été-là. Le véhicule crachait une fumée grisâtre, qui les faisait tousser – on s'en inquiétait peu à cette époque...

Les premières journées avaient été belles, les dernières, plutôt pluvieuses. Guillaume se rappela qu'après trois jours sous la tente à jouer au scrabble et à tenter en vain de faire sécher les sacs de couchage et les vêtements, sa mère s'était énervée et avait, sur un coup de tête, aux aurores, décidé de décamper en vitesse, en balançant tout l'équipement aux poubelles à la sortie du camping! L'été suivant, ils avaient loué une chambre dans un motel...

* * *

Partir seul comme l'avait fait sa mère lui faisait tout de même du bien, ne serait-ce que pour suivre son ombre et faire revivre ce qui restait d'elle. En regardant dehors, il devinait la chaleur poignante qu'il y faisait. Peu de gens à l'extérieur, beaucoup de voitures aux vitres remontées, des boutiques avec l'air climatisé à fond.

Guillaume passa la première nuit à l'auberge de jeunesse où il fraternisa un peu avec d'autres voyageurs. Deux Françaises, un Australien. Il avait l'habitude des voyages et de ces rencontres toujours très chaleureuses. Les courriels échangés, les promesses de se revoir un jour. Il dormit dans une chambre partagée avec d'autres, les écouteurs enfoncés dans les oreilles. La tablette sur les genoux, absorbé par les lignes tracées et qui semblaient se mouvoir sous ses yeux. Il avait fait des esquisses de femmes, dont Audrey, la chanteuse du café, et d'une plage rocailleuse qui prenait déjà forme, avant même d'apparaître sous ses yeux.

Le lendemain, il se rendit à l'endroit que lui avait indiqué sa tante. La chaleur assommante de juillet ainsi que l'alcool et les lobster rolls qu'il avait engloutis lui donnèrent un mal de tête terrible. Il marcha de longues minutes le long de la côte, sans être effrayé par le passage des voitures qui circulaient près de lui. Il sursauta à peine lorsque l'une d'elles le klaxonna. Son voyage occupait toute sa tête.

Il prit le temps de s'asseoir sur l'un des rochers au bord de l'eau. L'endroit le plus calme qu'il avait réussi à trouver. C'était l'été, il aurait dû y penser, le temps était aux festivités, à la bonne humeur et à une légèreté presque obligée, un contraste assez vif avec l'état d'esprit dans lequel il était. Il ne dessina pas. Il ferma les yeux quelques instants, but un peu d'eau, et quand il les rouvrit, il aperçut une femme marcher dans un sentier qui bordait la mer, tenant un enfant par la main. Elle était assez jeune, de longs cheveux bruns lui balayant le dos, une grande écharpe couleur crème couvrant ses épaules. Comme la fille du café : Audrey.

Mettre de l'ordre dans mon passé me semblait tout aussi difficile que de trier mes objets par catégories, ou de remplir une boîte de ceux dont j'aurais à me départir. On ne pouvait classer les souvenirs par ordre alphabétique ni les disposer de façon chronologique, comme le font les biographes. Encore moins effacer à jamais ceux qui nous font chavirer. Ils surgissent à tout moment, de façon chaotique, illuminent le regard ou, au contraire, viennent l'assombrir.

Seul l'un d'eux semblait vouloir s'incruster en moi. Il ne me revenait pas en tête par hasard, comme les autres, mais était présent en moi presque continuellement. Très rares étaient les journées où il ne surgissait pas dans mon esprit. Il s'était fait une place dans mon corps, en était devenu un membre à part entière, comme s'il accompagnait chacun de mes mouvements.

Ces jours-ci, ce souvenir me hantait plus que d'habitude. Car il me rappelait un autre départ : notre première fuite. Toi et moi.

* * *

Tu étais tout petit, un bambin. Ton père, Claude, avait perdu son emploi et était parti travailler à la Baie-James, quelques mois après ta naissance. Les offres de la SEBJ étaient intéressantes en ces temps de récession. Il nous envoyait de l'argent régulièrement, je travaillais peu à cette époque. Nous sommes allés le rejoindre quelques mois plus tard. Je ne connaissais rien de cette région du Nord du Québec avant d'y mettre les pieds. Je n'avais en tête que des clichés vus sans doute à la télé : une luminosité parfois absente, parfois éblouissante. Des Cris discrets, voire un peu distants. Une vie à l'écart du monde, où l'immensité de l'espace nous engloutit, nous plonge dans une solitude à la limite du supportable. Ou, au contraire, dans un état de sérénité totale. Un lieu trop mystérieux pour que je n'aie pas envie d'y déposer mes valises.

* * *

J'avais pris l'habitude de vivre éloignée de Claude. Nous retrouver ainsi dans l'espace exigu d'une maison mobile était un peu étouffant au début, par contraste sans doute avec ces centaines de kilomètres qui nous séparaient depuis des mois.

Je m'étais fait quelques amis qui, comme nous, étaient là de passage, pour quelques mois, voire quelques années. Ceux qui s'y étaient enracinés évitaient de trop s'attacher aux nouveaux arrivants dont ils anticipaient le départ prochain. Mon mari travaillait de longues journées, de dix à douze heures, six jours par semaine, puis il avait congé le dimanche, où il restait à la maison.

Pendant cette année où il avait vécu seul, Claude s'était désennuyé en fréquentant des hommes un peu perdus, venus pour deux ou trois mois. Ils buvaient, jouaient aux cartes, à l'argent. Je le connaissais et j'appréciais sa nature de bon vivant. Mais je me suis vite aperçue à mon arrivée qu'il se laissait aller… Le vol et l'abus de drogue étaient des problèmes courants dans ce coin de pays.

Un de ses amis avait l'allure de Joe Dalton : du haut de ses quatre pieds sept, il criait plus fort que les autres, avait l'œil louche et s'énervait à rien. De peur de se faire agresser par plus grand que lui, sans doute en raison de son physique ingrat, il trimballait toujours un bâton au bout duquel pendait une chaîne, exhibant avec fierté son arme médiévale. Il traînait son bâton par terre puis le soulevait et le balançait comme un pendule, vers l'avant, vers l'arrière, maîtrisant mal le mouvement, tandis que son corps chancelait de droite à gauche, tel un pantin dont on manie mal les cordes. Parfois, d'un geste brusque, il le levait vers le ciel et regardait la chaîne scintiller, écorcher la peau de ses victimes imaginaires. « Heille, fais attention avec ça ! » lui avait une fois crié un de ses chums, dans un rare éclair de lucidité. Le petit Joe avait marmonné une réplique inaudible pour moi qui les scrutais, inquiète, derrière le rideau de la fenêtre du salon. J'allai tout de suite vérifier si mon fils était dans sa chambre pour ne pas qu'il assiste à ce triste spectacle. Il jouait tranquillement avec ses blocs, me fit un sourire si innocent qu'il rendit la scène qui se déroulait à l'extérieur encore plus affligeante. De retour à mon poste de garde, je jetai un regard à travers le rideau de la porte. La bande était là, de retour de la taverne, deux d'entre eux étaient assis contre le pare-chocs de la voiture. Trois autres me faisaient face. L'un me surprit à les espionner, me fixa puis détourna la tête. J'observais l'homme menaçant, on aurait dit un loup affamé qui souriait au souvenir ferreux du sang dans sa gueule, de la résistance de la chair entre ses crocs. Heureusement, cette fois-là, ils restèrent à l'extérieur jusqu'à ce que la gang se disperse.

Je constatai rapidement le gouffre qui nous séparait, Claude et moi, et qui donnait lieu à des engueulades. Son ennui que je n'arrivais pas à combler. Cette vie de célibataire qu'il s'était construite, si peu compatible avec la vie de famille. Une vie qu'il n'avait, lui, jamais connue. Il était orphelin et n'avait ni frère ni sœur. Nous étions sa seule famille. Il disait souvent avoir peur de nous perdre.

* * *

Les rues du village étaient habitées par des chiens errants, dont je me méfiais au début. Certains étaient assez mal en point, pouvaient à première vue paraître dangereux, agressifs. J'avais réussi à en adopter un qui me restait fidèle. Je le nourrissais, je lui avais patenté une niche dans laquelle j'avais placé une vieille couverture de laine pour les temps froids. Je l'avais appelé Windy – pour Windigo, le monstre, celui que j'avais réussi à mater. J'aimais sa façon de plisser les yeux quand une bourrasque le fouettait. On aurait dit que le vent le caressait.

Avec toi, mon fils, j'avais établi une routine : le bain le matin, une marche au début de l'après-midi, pour t'endormir. Je te traînais dans une luge qu'on m'avait offerte avec des bords assez hauts pour te protéger des chiens errants. Je te portais aussi parfois sur le dos, dans le porte-bébé, ce qui avait l'avantage de me libérer les mains pour que je puisse faire de la photo. Au début, j'avais peur que tu tombes, que tu aies les mains ou les pieds gelés… Je finis par prendre goût à l'habitude de te porter, par délaisser le traîneau, peu pratique.

Mes premières prises de vue mettaient en lumière le ciel qui se confondait avec la terre enneigée à l'horizon. Une végétation clairsemée, un paysage plat. Peu à peu, j'avais apprivoisé le monde en faisant des portraits, des gens de loin qu'on apercevait, comme de minuscules incursions humaines dans l'immensité de l'espace. Des gens dont j'osais me rapprocher de plus en plus.

Quand Claude était à la maison, le calme des soirées où il s'endormait en regardant le hockey me faisait du bien. Cet ennui ordinaire avait les allures d'une vie rangée, qui me faisait penser à celle de mes parents. Toi, tu t'endormais dans ton petit lit. Je n'avais pas cru bon d'apporter le mobile que nous avions en ville. Mais, au plafond, on pouvait apercevoir le reflet chatoyant des aurores boréales qui dessinaient des formes mouvantes, turquoise.

* * *

Certains soirs où Claude travaillait, j'avais pris l'habitude de regarder une série policière populaire. Je me souviens de l'épisode qui jouait ce soir-là, où un voleur de soutiens-gorge semait la terreur dans une petite ville américaine du Midwest. Il était entré par effraction dans une dizaine de domiciles. On le soupçonnait maintenant d'avoir agressé puis assassiné une femme. Un célèbre enquêteur, l'étincelle dans le regard, l'air flegmatique, avait visé juste : le coupable, il en était convaincu, était un ancien militaire, dont l'honneur, la prouesse et la droiture avaient été récompensés par un nombre impressionnant de médailles accrochées à sa veste. Juste au moment où le voleur s'apprêtait à sévir de nouveau et à pénétrer dans une maison par la porte patio arrière, j'entendis des coups contre la porte d'entrée. J'hésitai d'abord, puis j'imaginai que c'était Claude qui revenait du travail et qui avait oublié ses clés. J'allai ouvrir la porte et je reconnus dans l'embrasure un des hommes aperçus quelques jours plus tôt. Il avait l'air intoxiqué, son regard tentait de se fixer sur quelque chose de stable – moi : « Je viens voir Claude ! » « Y est pas là, Claude, il devrait revenir dans pas long…» «Je le cherche, il me doit de l'argent…» Il resta silencieux quelques secondes, attendant sans doute ma réaction, puis, sans raison, il me poussa, entra et m'agrippa le bras. «Tu vas voir, je sais comment me faire rembourser!» Je réussis à me dégager et à le repousser en criant. Il me prit par la gorge, me projeta contre le sol et me lança un «Heille, esti, fais pas ta sainte nitouche.» J'entendis alors les jappements menaçants de Windy qui s'approchait de l'entrée. Ma plus grande crainte à cet instant était que tu te réveilles. L'homme s'arrêta, puis fouilla du regard la maison comme s'il cherchait quelque chose. Il se mit à rire et prit la fuite comme un voleur. Il bafouilla un «Je vais r'venir!» et tenta de donner un coup de pied à Windy sans succès – il faillit perdre l'équilibre. Je me précipitai pour fermer la porte et la verrouillai, éteignis la lumière, me versai un verre de gin et me remballai dans ma couverture, toute frissonnante.

Toi, tu dormais, tu n'avais pas été dérangé par tout ce bruit. Ma série n'était pas terminée, la télé jouait comme si rien ne s'était passé. L'enquêteur était à deux doigts de trouver le coupable. Il avait pu reconnaître le criminel grâce aux empreintes laissées sur le corps d'une de ses victimes. Celle-ci avait été identifiée grâce au numéro de série de ses implants mammaires, le corps abandonné dans un boisé.

J'étais paralysée, je ressentais encore la force de la main qui s'était agrippée à mon cou. Je trouvais absurde de me replonger ainsi dans cette télésérie ridicule qui arrivait à peine à me faire oublier la gravité de ce qui venait de m'arriver. Je ne pouvais pourtant détacher mes yeux du téléviseur et projetais ma peur sur l'intrigue qui se déroulait à l'écran, espérant en connaître au plus vite la résolution. Je finis par m'endormir après que le maniaque aux soutiens-gorge eut été emprisonné.

Mon mari ne rentra pas cette nuit-là. On le retrouva près de la maison, endormi dans la neige, le visage tuméfié. Il s'était fait tabasser, sans doute par la bande de l'homme qui s'en était aussi pris à moi. Une histoire de jeu et d'argent qui avait mal tourné.

Je ne lui racontai jamais l'épisode de l'intrus, mais j'étais morte de peur. L'attitude nonchalante de Claude me poussa à bout. Je lui annonçai quelques jours plus tard que je le quittais, que je repartais « en bas », comme disaient les gens de la place.

* * *

Je suis repartie avec toi, un matin d'hiver. Une valise à moitié remplie, un tas d'impressions contradictoires en tête. La douceur de ta deuxième année de vie sur cette terre froide, aride. La violence du froid qui avait endormi Claude. Et ce Nord, dont j'avais à peine percé le mystère. J'avais tout quitté avec le sentiment de m'être évadée, de m'être enfuie, sans trop savoir si c'était un acte de courage ou de lâcheté. Je n'avais pas dénoncé l'agresseur. Et j'avais abandonné Claude à son sort. Les années qui suivirent, il ne fit que poursuivre sa dégringolade…

De retour dans l'agitation de la ville, un ami nous hébergea quelque temps jusqu'à ce que nous nous trouvions un logement.

* * *

Depuis, aucun de mes souvenirs de cet épisode où ma vie avait soudainement déraillé ne restait intact, ils étaient sans cesse recomposés par ma mémoire qui en gardait les éclats, les teintes, et qui les remodelait selon l'humeur du moment, selon l'émotion que j'allais y puiser pour mieux la combattre, ou pour mieux être abattue par elle. J'avais tout perdu, ou presque.

Je me souviens encore de la dernière bouffée d'air frais que je pris avant de partir. La fraîcheur de l'air m'emplit les poumons, j'eus l'impression de respirer pleinement comme si je retenais mon souffle depuis trop longtemps. J'entendis dans ma tête claquer la semelle de tes bottes sur le sol, l'écho de tes premiers pas maladroits rebondissant contre le mur, comme la veille. Je jetai un dernier coup d'œil derrière moi : j'aperçus notre luge en bois, peinture rouge écaillée, appuyée contre le mur, laissée là en prévision de la prochaine averse de neige. Et je vis la niche de Windy, désertée. Il avait fui, lui aussi.

Un matin d'hiver, je suis partie, mon enfant et mes valises avec moi. Dans la précipitation du départ, j'avais dû le serrer trop fort contre moi : je découvris le lendemain une ecchymose sur son petit bras dodu. Je me souviens aussi du mouvement de ses doigts qui, en voulant s'agripper à mon cou, m'avaient griffé la peau.

La canicule a plongé Montréal dans une atmosphère glauque, surréelle, le temps s'est arrêté dans l'épais brouillard jaunâtre du smog. Des traces noires sur les briques et le bois laissent deviner le mouvement vivant des flammes qui, quelques jours plus tôt, se sont emparées de l'un des immeubles du quartier où habite Guillaume. On croirait une ville après un bombardement, tant le calme qui y règne paraît inquiétant. On devine le son des cloches d'une église au loin. Un col bleu passe la balayeuse de rue. Les citadins se réfugient dans les immeubles climatisés, ceux qui n'y ont pas accès errent dans les centres commerciaux, viennent y quêter un peu de fraîcheur. Des hommes-sandwichs annoncent des produits financiers à la porte des banques, pour les quelques passants qui restent et qui les croisent avec indifférence ou avec un sourire compatissant. Dehors, là-bas, quelques femmes et hommes itinérants sont assis, se reposent ou discutent. L'une est immobile, recroquevillée, emmaillotée dans sa robe, et dans sa main elle tient une image de la Vierge, contre laquelle sa tête semble s'appuyer. Un homme quelques mètres plus loin est couché près de son chien. Pieds nus, le visage brûlé par le soleil. Il dort, indifférent à la ville, à la chaleur, aux très rares passants. Une odeur de fromage se dégage de lui, de ses vêtements, de son chien qui a faim. Il est emmailloté comme si c'était l'hiver. Il dort, on dirait un bambin, on dirait un vieux chien, lui aussi. La vieille dame pieuse s'est fait un oreiller avec le sac rempli de ses effets personnels. Guillaume remarque des balafres sur son visage – une rescapée. Si elle meurt, qui le saura? se demande-t-il.

* * *

En rentrant chez lui, Guillaume trouva une lettre qui lui était adressée, un avis de son propriétaire l'informant que l'immeuble où il habitait devait être démoli, la poutre centrale menaçant de s'affaisser. Les locataires auraient droit à une légère compensation, et on leur fournirait un service d'aide à la recherche de logement.

Une sorte de désabusement l'envahit. Son patron venait de lui couper ses heures, il s'était endetté pour son dernier projet d'exposition, et voilà qu'il était forcé de déménager.

Il entendit sa mère lui demander ce qu'il allait faire de sa vie.

Il eut l'impression de ressentir, très physiquement, la violence du monde dans lequel il vivait, où il n'arrivait pas à prendre sa place. La vive impression qu'il devait trouver une façon d'y échapper ou, au contraire, d'y faire face, pour une fois.

En montant l'escalier qui menait à son appartement, il avança comme un automate. Il entra chez lui, déposa son sac, qui lui sembla plus lourd que d'habitude. Enleva sa veste. Alla se chercher une bière dans le frigo. Alluma son ordi. Mit ses écouteurs sur ses oreilles le temps que le jeu démarre.

Il n'avait qu'une chose en tête : poursuivre la bataille qu'il avait mise en veille la nuit précédente, cette fois sans compter les morts.

La blancheur éclatante d'un soleil d'hiver. Une carte postale montrant un ciel très bleu qui baigne dans cette lumière que découpe le sommet enneigé d'une montagne. Un hôtel rustique en bois rond au pied d'un lac aux eaux turquoise. À l'endos, rien d'écrit. Une carte de la Pologne que je n'ai jamais envoyée, que j'ai conservée comme un souvenir qu'on ne veut pas trop partager, de peur qu'en le formulant, il se ternisse.

En tentant maladroitement de capter un oiseau en plein vol, je pris en photo un nuage. Puis un autre. Les ciels se succédaient, aucun n'étant identique. Comme les paysages qui changeaient presque trop rapidement sous mon regard. Forêt de conifères, droits, denses, aux branches brisées à ma hauteur, laissant passer une faible lumière. Joues rosées des vieillards qui font leur marche matinale. La profondeur de la forêt m'attirait. Mystérieuse. Sombre. Après quelques heures de marche, je me retrouvai devant cette vaste étendue d'une eau limpide, noire au loin, claire au bout de mon pied. Je me suis assise et j'ai plongé les mains dans ce qui me semblait de l'argile. J'avais besoin d'en voir la couleur, de calmer mon regard du spectacle éblouissant des neiges printanières. J'ignorais ce qui me comblait le plus : le privilège de ne pas avoir à dire à quelqu'un ce que je ressentais devant cette beauté ou l'idée toute simple qu'il n'y a rien d'autre à faire que de m'en imprégner et de profiter déjà du plaisir anticipé de sa remémoration.

Le soir, je logeais dans cette immense auberge rustique qui pouvait accueillir des centaines de voyageurs et qui, curieusement, était presque vide. J'y partageais un grand dortoir avec une femme qui ne m'adressa ni un regard ni une parole. Je fermai les yeux. Je vis le pont Charles de Prague, où j'étais quelques jours auparavant, et l'élan rassurant du Métronome que je n'avais pas voulu photographier, car ma photo en aurait forcé l'arrêt. Le mouvement lent de l'immense sculpture de métal s'opposait à la fixité morbide de la statue de Staline qu'elle avait remplacée et qui avait trop longtemps écrasé la ville sous son poids. Son va-et-vient me semblait à jamais imperméable aux coups d'éclat de l'Histoire...

* * *

La table du refuge était en bois massif. Elle portait les marques des tasses de thé très chaud oubliées là, des coups de couteau qui avaient tranché du pain. C'était cette même table qui avait porté nos verres de vin chaud épicé, offert par une jeune Allemande de passage la veille au soir.

J'étais dans cette région montagneuse de l'Europe centrale pour un séjour de randonnée d'une quinzaine de jours. Je t'imitais (ou était-ce l'inverse?), tu étais alors en Asie depuis des mois. J'habitais cette auberge où les voyageurs de passage vivaient en communauté, les chambres devant être partagées à plusieurs. Un homme y habitait, gardien du refuge, guide à l'occasion. Il parlait un anglais approximatif qui s'arrimait bien au mien. La langue que nous parlions ensemble était toute simple, peut-être limitée même, mais parfaite pour les besoins minimaux de la conversation courante, pour l'essentiel que nous avions à nous dire. Les hésitations, les erreurs faisaient dérailler un peu le fil de la discussion, les mots utilisés n'exprimaient pas tout à fait ce que nous voulions dire, d'autres étaient de pures inventions. Ce n'était pas très grave.

Il vivait seul depuis des années. Seul, entouré de ces gens de passage. Il avait un garage adjacent à l'auberge, où étaient entreposés des outils, des matériaux de toutes sortes qui lui servaient à faire des rénovations et de l'entretien. Un jour, en passant près de sa chambre, j'aperçus l'ordre routinier d'un vieux garçon : un lit simple, une bibliothèque. Une table de travail. Des petites voitures posées ici et là. Un début de collection, sans doute. Des photos d'une autre vie, de voyages. Des visages étrangers, qui ont sûrement vieilli ou disparu. Une lampe de chevet dégageant une lumière orangée. Au-dessus du lit, des petits cadres croches. J'eus une envie presque irrésistible d'y entrer, d'ouvrir ce calepin laissé sur sa table de chevet, d'essayer de déchiffrer les lignes griffonnées. De regarder cette carte géographique posée sur son bureau pour deviner l'étendue des voyages dont il rêvait. À mon envie de déranger l'ordre presque ennuyant du lieu succéda le désir de le laisser intact, de respecter le chaos organisé de ses vieilles habitudes.

Ses gestes lents et son calme m'apaisaient en cette période de ma vie où j'en avais besoin. Quand je rentrais au refuge après ma randonnée quotidienne, je voyais dans le manteau suspendu au crochet le signe rassurant d'une présence masculine qui, à ce moment, me suffisait. Comment l'expliquer… J'avais le même sentiment quand j'entendais le sifflement de la bouilloire, le signal que j'attendais pour descendre l'escalier le matin ; un bonheur simple à l'idée de trouver, sur la table, deux tasses. Dont une qui m'était réservée. Toujours la même, une tasse beige, avec des roses peintes tout autour dont les tiges étaient parsemées d'épines ridiculement démesurées. Ornée d'une anse très délicate…

Peut-être que ses petites manies de vieux garçon attendrissaient davantage mon cœur de mère que celui d'une potentielle compagne. Peu importe, ces élucubrations psychanalytiques ne se rendaient jamais bien loin dans ma tête. Non, il valait mieux descendre les marches, savourer ce thé et ces conversations de fin d'après-midi, sans plus. Dès que ma pensée s'égarait, j'essayais de concentrer tous mes sens à la captation des odeurs, des parfums, du plaisir de ce moment partagé.

Le confort routinier de l'auberge m'avait, cet automne-là, sortie de la pénombre. Une quinzaine de jours à peine, durant lesquels j'avais, avec lui, connu la routine rassurante d'un vieux couple. Il s'assurait toujours que nous déjeunions ensemble, j'étais la première levée et ce rendez-vous matinal m'émoustillait plus que tous ces rendez-vous de fin de soirée que j'avais pu connaître dans mon autre vie.

Jeune, je croyais que l'amour méritait d'être vécu sans compromis. Qu'il devait rendre invivable chaque minute passée sans nouvelles de l'autre, dans la violence de l'attirance physique, il devait aimanter les corps, puis les arracher l'un à l'autre dans les pleurs, occuper l'espace et le vide, dans une tension permanente faite de désir, de jalousie, d'attraction et d'abandon. Qu'il fallait renouveler le plaisir jusqu'à ce qu'il s'épuise de lui-même, qu'il s'effrite pour finalement disparaître derrière un sourire complice…

Je n'avais jamais vraiment refait ma vie après avoir quitté mon mari. J'avais connu quelques hommes de passage, rien qui s'était inscrit dans la durée. Je rêvais aujourd'hui de rencontres très simples, qui dans mon esprit seraient d'un romantisme plus grand encore que ces soupers aux chandelles et ces déshabillés de satin que je n'avais pourtant jamais portés. Boire un thé avec lui, sachant qu'il n'attendait rien d'autre de moi. L'amour après la nuit, après le mystère sur mesure, après les mensonges ordinaires. L'amour tout de suite après l'éveil, dans la lumière du matin, dans la lenteur des gestes et des phrases avant qu'ils ne soient précipités par le quotidien. Comme si nous commencions par la fin.

Je rêvais d'une voix, de mots qui auraient la lenteur et l'extrême fiabilité d'un métronome qui ne s'arrêterait jamais. Je cherchais à accorder ma respiration à la tranquillité de ce rythme imaginé, j'entendais la douceur d'une mélodie qui me plongerait dans une sorte de plénitude comme lorsqu'on erre quelque part entre l'excitation du départ et l'appréhension de l'arrivée. Et goûter, entre les deux extrêmes, le plaisir des découvertes, des rencontres surtout, capables de me faire oublier l'abrutissant tic-tac du temps.

Je ne suis jamais retournée dans ce refuge. Peut-être pour garder intact le sentiment lié à tout ce que j'avais pu y vivre. Non... c'est faux. J'y retournais régulièrement, en pensée. Au retour de ce voyage, j'avais pris l'habitude de me lever très tôt et de prendre le thé en sa compagnie, tout juste avant d'aller marcher. Avec lui, j'avais l'impression de souvent refaire ma vie.

Marcher. Marcher. Puis s'arrêter. S'étendre sur le sable. Lire, couchée sur le dos, se tourner sur le côté, jusqu'à l'engourdissement, se retourner sur le dos, utiliser le livre comme paresoleil, jusqu'à ce que les bras flanchent, ne supportent plus le poids des pages. Fermer les yeux. Livre contre la poitrine. Croire qu'ils ne resteront fermés que quelques instants. Feindre la surprise au réveil. Perdre sa page. Essayer de la retrouver, en en lisant quelques autres au passage. Les salir, de ses doigts couverts de sable.

Guillaume commença à faire ses boîtes. Il emballa l'essentiel, de vieux CD, quelques photos, des papiers importants. Des lettres. Tout ça rassemblé dans deux ou trois cartons. Le reste, il allait le jeter ou le donner. Une longue soirée à faire le tri dans ses objets personnels, une soirée où il en avait profité pour terminer la bouteille de scotch achetée à Noël.

À son retour de son périple américain, il avait revu Audrey. On lui avait offert un contrat et elle chantait désormais tous les vendredis soir au Café d'Ailleurs. Quand il lui avait raconté comment il allait être expulsé de son logement, elle lui avait offert de l'héberger, de dormir sur le divan de son salon. Ils s'étaient promis de s'en reparler.

En vidant son placard, Guillaume était tombé sur une boîte contenant des documents ayant appartenu à sa mère. Sa tante les lui avait donnés quelques mois plus tôt, en lui disant que c'était à lui que cela revenait. Il l'avait ouverte et s'était vite aperçu qu'elle contenait de la paperasse qu'il jugeait inutile : acte de naissance, avis de décès, papiers notariés, avis de succession, relevés bancaires. Quand il sortit cette pile de documents de la boîte pour en faire le tri, une photo Polaroid tomba par terre. Datée du 17 juin 1987. Quelques jours avant la disparition de sa mère. Il l'observa et peina à la reconnaître. Elle affichait un air différent de tous ceux qu'il avait l'habitude de se remémorer. Cette femme avait un sourire un peu forcé, se tenait à l'écart des autres, était trop maquillée à son goût. C'était sûrement à la mode à cette époque, se dit-il. Et ce foulard qui lui couvrait la tête…

La pensée de Guillaume emprunta un chemin jusqu'alors inexploré. Et si cet accident tragique cachait une vérité encore plus cruelle? Un acte prémédité, planifié, rêvé? Cette fuite déguisée en vacances, puis l'accident: le résultat d'un acte purement volontaire. Un adieu définitif, une voie toute tracée d'avance.

Guillaume imagina ce vide vers lequel elle aurait pu être attirée. L'angoisse d'une femme, seule avec son enfant. Peut-être moribonde. Un cancer diagnostiqué. Ou toute autre maladie incurable. La certitude que les mois qu'il reste à vivre ne seront que souffrance. Mettre fin, immédiatement, à ce supplice. Ne vouloir imposer cette déchéance à personne. Encore moins à son fils. Trop jeune pour comprendre, pour vivre l'agonie de sa mère.

Il avait déjà ressenti cette pulsion de mort, cette attirance vers ce qui, à première vue, aurait pu le délivrer de tout, à jamais. Il l'avait ressentie sans jamais avoir eu l'intention d'y céder.

Il rangea la photo de sa mère amaigrie dans une boîte à chaussures. D'un geste impulsif, il prit les quelques objets qu'il lui restait à trier et les jeta du haut de son balcon arrière dans un container où des débris de construction s'empilaient.

Il transforma cette hypothèse macabre en secret qu'il ne révélerait jamais à personne. Un secret de plus, qui l'unissait à sa mère.

« Il n'y a rien de pire dans la vie, madame, que de se faire prendre par la neige avec des pneus d'été, me dit le jeune homme, et en plus, c'est illégal! Tout le monde attend à la dernière minute, s'étonne de voir la neige tomber en novembre. C'est quand même pas comme si c'était la première fois que de la neige tombait avant Noël!»

Mes essuie-glaces se pourchassaient à tour de rôle de droite à gauche contre mon pare-brise à vitesse maximale, effaçant sur leur passage avec une sorte de panique effrénée les fines gouttes de pluie qui venaient s'y échouer. Le garagiste me souriait malgré ses réprimandes, l'eau lui coulant sur le visage, la tête enfoncée dans le capuchon de son imperméable. J'étais sortie de chez moi pour une rare fois cette semaine-là, comme si la froide grisaille automnale m'avait assignée à résidence: j'inventais des obstacles entre le monde extérieur et le doux confort de mon appartement («Je ne trouve plus mes gants», «j'ai un début de rhume», «je peux cuisiner les restes», etc.). Une fois dehors, le choc de température fut si violent qu'il posa sur mon visage la première grimace de l'hiver, un sourire crispé, le rictus stupide d'un masque de carnaval. La pluie épaisse dégoulinait sur les dernières feuilles jaunies qui s'accrochaient tardivement aux érables, qui s'en détachaient, paresseusement, une à une, offraient une dernière danse avant d'échouer sur le sol. Rien à faire, la poésie ne pouvait survivre à un tel temps de merde!

La pluie glacée s'abattait contre la vitre de ma vieille Toyota et les essuie-glaces peinaient à dégager la vue. Cela me força à faire un arrêt au garage avant d'aller à l'épicerie. « Il n'y a rien de pire dans la vie, madame, que de se faire prendre par la neige avec des pneus d'été. » La phrase sitôt entendue sitôt oubliée se fondit dans le brouhaha des clients déjà nerveux à l'idée de ne pas poser leurs pneus d'hiver à temps. Plus qu'un argument de vente, la phrase « Il n'y a rien de pire dans la vie... » se voulait sans doute un élan de sympathie qui camouflait mal la pitié que lui inspirait cette femme « d'âge mûr », c'est-à-dire moi...

« Je crois que vous êtes dans les derniers milles », ajouta-t-il, et s'empressa de préciser : « avec votre voiture... », de peur d'être mal compris.

Il a probablement l'âge de mon fils, me dis-je, avant de lui sourire, amusée du malaise que sa remarque semblait lui avoir causé.

« Je la garderai jusqu'à la fin. »

Ma réponse tout aussi nébuleuse semblait trahir mon âge, moi qui n'avais que faire de la nouveauté. Ce jeune ne comprenait sans doute pas comment on pouvait se satisfaire d'un tel bazou rouillé. Il eut envie d'ajouter que, si c'était par simplicité volontaire, mieux valait l'envoyer au garage pour qu'on en recycle les pièces, mais se retint. « Ce genre de femme se satisfait de ce qu'elle a, ne veut pas changer ses vieilles habitudes, par insécurité sans doute. » Les phrases que j'imaginais défiler dans la tête du jeune homme s'interrompirent quand soudainement, une éclaircie m'aveugla, un rayon de soleil qui se faufila entre deux branches d'arbre alors que, depuis le matin, le temps ne s'était barbouillé que de gris. Je restai figée, la clé dans le démarreur. Je demeurai quelques secondes dans cette lumière qui me réchauffa, puis tournai la clé, mis mes essuie-glaces en marche pour tasser une petite feuille obstinément collée contre le pare-brise. Ils se mirent à s'agiter frénétiquement et en vinrent à bout : elle se décolla et disparut de ma vue. Un nuage passa, vint assombrir le paysage.

En jetant un coup d'œil dans le rétroviseur pour reculer, j'aperçus le jeune homme qui retournait vers le garage. La tête baissée, l'allure résignée. Oui, de dos, il aurait très bien pu passer pour mon fils. Ou du moins mon fils comme j'aime me l'imaginer. Cheveux courts, épaules tombantes. Démarche chancelante. Qui s'inquiète de moi, répare ma voiture, se tait quand il pense avoir dit une bêtise. « Il n'y a rien de pire dans la vie… » En sortant du stationnement du garage, les gouttes de pluie devinrent de plus en plus lourdes et, en l'espace de quelques secondes, elles se transformèrent en une épaisse neige fondante.

* * *

Les semaines avaient filé, et tout empaqueter me prenait plus d'énergie que je ne l'avais imaginé. N'arrivant pas à décider où j'allais poser mes boîtes, mes valises, et en voyant le prix toujours plus exorbitant des loyers, je me résignai à l'éloignement. Un cercle de plus en plus grand, l'onde élargie produite par une pierre lancée dans l'eau.

Étourdie par mes recherches, je commençai à avoir l'impression de courir après mon souffle. Ma pression montait, descendait. Je m'épuisais à essayer de trouver l'équilibre, j'avais l'impression d'être sur le pont d'un bateau qui tanguait d'un côté, puis de l'autre. Je m'étais fait une réserve de potage au céleri dont j'avais mangé quelques cuillérées accompagnées de deux ou trois toasts Melba bien beurrées. J'avais parlé à une amie au téléphone, mais n'avais pas cherché à prolonger la conversation au-delà du récit habituel du quotidien.

Nous étions tout juste après le temps des fêtes, je vivais toujours alors une sorte de passage à vide, comme si ce trop-plein de souvenirs et de parenté finissait par m'éreinter complètement. Après la cacophonie rituelle de Noël, ce dont j'avais le plus besoin, c'était le silence. Celui qu'on cherche habituellement à masquer, par toutes sortes d'activités ou de manies, celui qui nous rappelle notre solitude et nous fait voir comment le monde serait en notre absence. Pour l'entendre, il fallait que je reste sourde au monde extérieur, aux voix de ces plaintes ordinaires qui s'accumulaient et provoquaient des silements dans mes oreilles.

Je me levais tôt. Vers cinq heures, parfois quatre heures trente. J'avais beau m'entortiller dans mes draps, je finissais par sortir du lit, attirée par l'idée de me faire un bon thé. Un thé ordinaire, un nuage de lait et un sachet d'édulcorant.

Ma jeune voisine sortait souvent très tôt le matin pour faire son jogging. J'enviais son énergie, me demandais aussi pourquoi toutes ces jeunes filles s'évertuaient à brûler les calories au fur et à mesure qu'elles les absorbaient. Leur vie me semblait triste à mourir, en constante lutte contre leur corps, en constante compétition contre elles-mêmes. Elles le savaient, mais quelque chose de plus grand qu'elles leur ordonnait de continuer.

Ce matin-là, je décidai néanmoins de l'imiter un peu à ma façon, de recommencer à marcher. Je versai mon thé dans un thermos et sortis pour voir les premières couleurs rosir le ciel. Dehors, les paysages défilaient, au rythme de mes pas lents. Un immense peuplier s'agitait lentement et faisait frissonner ses branches raidies par le froid. J'accélérai la cadence jusqu'à ce que j'entende mon cœur battre dans mes tempes, dans mes poignets, dans mes jambes. Inquiète, je m'arrêtai. Et si ma pression se mettait à monter soudainement? Je pris de grandes respirations et fermai les yeux quelques secondes.

Je me remis à marcher, à mon rythme. Chaque enjambée résonnait dans ma tête, les poings bien fermés pour garder mes doigts au chaud, je continuai en ne me souciant que de mon expiration, qui laissait échapper de la buée blanche vite dissipée dans l'air frais.

Dans cette bulle que j'avais réussi à me créer à force d'adopter ce silence et cette solitude, à force d'être hors d'atteinte, hors de tout, je commençai à sentir une musique s'animer en moi. Je marchai, puis bifurquai vers le viaduc Rosemont et, rendue en haut, lorsque, par-delà son rempart, ma vue se dégagea, j'aperçus la montagne, les églises, les arbres, je m'arrêtai de nouveau. Dans l'étourdissement de l'arrêt combiné au halètement de mon souffle que je cherchais tant bien que mal à reprendre, à contenir, je fus prise d'un vertige. Je croisai la jeune joggeuse et lui fis un sourire discret. Elle ne me remarqua pas, trop concentrée sur ses mouvements, sur sa musique, sans doute... Elle s'arrêta, regarda défiler les voitures et repartit presque immédiatement, emportée par un souffle auquel j'étais étrangère. J'ouvris grand les yeux pour observer les moindres détails de la ville qui se dévoilaient devant moi à perte de vue. Le rythme de mon cœur changea alors, sembla ralentir un peu comme pour s'accorder avec les teintes naissantes de la ville au réveil. Je repris alors la route, rebroussant chemin, oubliant que j'étais à bout de souffle, descendant le viaduc doucement, j'attendis qu'il n'y ait plus de voitures et traversai la rue pour atteindre le trottoir. Arrivée à mon logement, je montai les marches lentement, faisant vibrer chacune d'elles à la manière d'un xylophone, en m'appuyant sur la rampe. En haut, je déverrouillai la porte, enlevai mes bottes et m'assis quelques minutes pour reprendre mon souffle, les yeux rivés sur la pile de boîtes entassées dans le salon. Je me sentis plus vieille que d'habitude.

Cette escapade matinale redevint une habitude. Je me réhabituai à l'air frais du matin, celui qui semble éveiller les poumons et les remplir d'air comme de grands ballons. J'aimais voir, au retour, mon visage rosi par le froid. Ce sentiment de plénitude me rappelait l'amour. Je me versais un autre thé et le buvais cette fois au soleil. Assise dans mon fauteuil, recouverte d'un grand châle. Les pieds, les mains et les épaules au chaud.

Se détacher de tout. Par instinct de survie, ne plus accorder d'importance au matériel. Aux lieux où l'on tente, envers et contre tout, de s'enraciner, de se faire des attaches. Ne plus accorder d'importance à tout ce qui est inutilement chargé d'émotion. Fuir comme ça, un sac sur l'épaule, et se faire croire que c'est par choix. Croiser le regard d'autres un peu perdus depuis plus longtemps. Se reconnaître en eux, vouloir les éviter, puis les retrouver dans un rêve le soir venu. Vouloir marcher sur leurs traces, dès le lendemain. Au cas où.

Ce soir-là, il pouvait entendre des feux d'artifice éclater non loin de chez lui. Guillaume ferma les yeux et imagina un grondement semblable aux bombardements pendant la guerre. La pétarade colorée était pourtant l'écho lointain, joyeux des festivals et des concerts qui avaient animé cette journée d'été. Lui n'y entendait que l'éclat inquiétant des bombes et des balles perdues.

Près de son ordinateur, un verre était posé sur un papier journal. La face du premier ministre, entourée d'un cerne d'alcool. Des odeurs de viande et de friture montaient du restaurant voisin. Le fast-food libanais d'à côté ne fermait jamais; ça tombait bien, Guillaume ne savait jamais quand il aurait faim et allait y manger à toute heure du jour ou de la nuit. Dans un coin de la pièce, les boîtes de mets à emporter s'empilaient. Il enleva ses écouteurs, se leva et sortit de son appartement pour prendre l'air et se remplir l'estomac.

Il descendit les marches de son logement. Le passage était étroit, les petites lucarnes à sa droite, brisées, le tapis bourgogne, déchiré par endroits, détails qu'il ne voyait plus depuis longtemps. C'était sale, mais personne ne prenait la peine de tout nettoyer, c'eût été inutile. Il ouvrit la lourde porte qui le séparait de la faune nocturne. Elle se referma derrière lui, laissant entendre un claquement sourd. Au coin de la rue, des gars fumaient et parlaient fort. Une forte odeur de poubelles bloqua la respiration de Guillaume quand il passa près d'une ruelle. Il détourna la tête. Les tables d'une terrasse étaient décorées de petites lumières en forme de piments rouges, orange, jaunes et verts. Il entendit l'écho de cris qui provenaient d'une rue perpendiculaire. Puis de grands éclats de rire. Guillaume fit un saut pour ne pas mouiller ses souliers dans une flaque d'eau et monta les marches du resto. Il y entra, commanda un shish taouk.

Il alla manger son sandwich dans un parc non loin de là. Quand il s'assit, un cri strident lui fit tourner la tête : une jeune fille venait de tomber en bas de ses talons, un peu soûle ; une amie, en l'aidant à se relever, avait malencontreusement tiré sur l'immense anneau qui lui pendouillait à l'oreille. La fille criait de douleur, et sa bouche grande ouverte lui donnait l'allure d'une guenon. Son oreille saignait. Son corps alourdi peinait à tenir sur ses talons hauts, l'apparente délicatesse de sa démarche frôlait la débâcle à tout moment et, comme de fait, sans prévenir, la ballerine ivre bascula.

« Aweye, Jerry, swing the bitch !! » hurla un jeune homme assis sur un banc. Les arbres qui longeaient l'un des sentiers étaient éclairés par la lumière froide des spots du terrain de baseball. Les autres joueurs criaient. Jerry frappa la balle. Clac. Un boulet de canon. Il leva la tête et se mit à courir. Le premier but se plaça sur sa trajectoire, avant qu'il attrape la « bitch » lancée par le champ gauche, Jerry entra en collision avec lui. Un mort, un blessé. Mais non. Le premier but sautilla, grimaça, fit le singe, reprit sa place et renvoya, l'air frustré, la balle au lanceur. La guenon se remit à crier au loin.

* * *

À l'extrême est du parc, des tentes avaient été installées ici et là, un campement illégal pour dénoncer la crise du logement. Un amas de champignons multicolores qui avaient transformé la tranquillité de cet espace vert en terrain de camping improvisé, où on profitait des chaudes soirées d'été pour refaire le monde. Des policiers surveillaient sans intervenir. On y servait de la soupe, pour tous, dans de petits bols dépareillés. Deux gars lavaient la vaisselle dans une eau savonneuse peu ragoûtante. Des pancartes avaient été déposées ici et là, affichant des slogans anticapitalistes, féministes, anticolonialistes. Des étudiants, des membres de groupes communautaires et quelques hommes itinérants étaient assis sur des bottes de foin, discutaient et mangeaient. Des joueurs de baseball s'étaient joints au groupe. Ça parlait anglais, français. Ça parlait surtout franglais. Quelques personnes écoutaient un gars qui jouait de la guitare.

Guillaume s'approcha d'eux et se prit un bol de soupe. En pleine discussion, deux hommes haussèrent le ton, visiblement ivres. Un des campeurs les sépara, on tenta de calmer le jeu. Guillaume remarqua près d'eux un garçon qui donnait à manger à son chien. Sa copine flattait la tête de l'animal. Quand il se tourna, Guillaume remarqua ses tatouages au visage. Des lignes tribales, on eût dit qu'elles étaient reliées les unes aux autres par ses piercings. Le corps comme un espace que l'on s'approprie, dont on marque le territoire. Quand tout le reste se dérobe sous nos pieds.

Guillaume texta Audrey, lui suggéra de venir le rejoindre. Ils passèrent quelque temps au parc à discuter avec des connaissances, puis partirent discrètement. Ils parcoururent les rues et les ruelles de la ville jusqu'au petit matin.

Au fil des années, nous avions dû déménager assez souvent. Les cris d'un enfant un peu turbulent provoquaient des plaintes de voisins. Des gens qui réclamaient un peu plus de calme, qui ne comprenaient pas qu'un enfant puisse se réveiller en pleine nuit, en proie à des terreurs nocturnes comme tu en avais souvent. Prendre rendez-vous pour visiter un logement était assez facile, mais je voyais tout de suite la face du proprio changer quand il me voyait arriver avec mon petit trouble-fête... Chaque refus déguisé en bonne excuse était pour moi, pour nous, une humiliation de plus.

L'un des logements où nous avons vécu quelque temps, toi et moi, était situé dans ce quartier de Montréal où le temps semblait s'être arrêté dans les années 1950. Y vivaient des femmes dont la vie sociale se passait sur leur balcon, à parler à leurs voisines, à regarder les gens passer entre deux brassées de lavage, attendant le retour des petits de l'école. Sur Sainte-Catherine, des prostituées qui n'avaient plus le droit de faire le trottoir avaient contourné la loi et trouvé la solution : aguicher des clients potentiels de la fenêtre de leur chambre en leur offrant une vue en contre-plongée sur leur poitrine pendante. Le quartier empestait le houblon et la violence, la solidarité et les ragots de balcon (toé, câlisse, quèsse-t'as à me r'garder, crisse, veux-tu ma photo ?), s'y entassaient des gens ordinaires, des réfugiés des réserves autochtones, des punks néo-nazis, des mères de famille seules avec leurs cinq enfants et mon voisin Robert, seul père de toute la rue – des policiers avaient fait une rafle et jeté en prison les membres d'un gang de motards –, qui pouvait se retrouver avec douze bicyclettes à réparer au printemps.

Et il y avait le petit voisin, Kevin, un hyperactif pas encore médicamenté, un futur délinquant en puissance, comme me l'avait décrit une surveillante de l'école. Il avait l'habitude de grimper dans un arbre, un tremble, le seul de sa petite cour, en haut duquel il avait une vue imprenable sur notre balcon. Sa mère l'engueulait pour qu'il descende de là, la voisine le regardait, inquiète. « Descends de là, m'as-tu entendue ? » Il vendait toujours des objets trouvés dans des ordures, des trucs à recycler, imitait les patenteux du coin qui remontaient des radios, des télés, des grille-pains, tout ce qui leur tombait sous la main, les vendaient sur le trottoir en face de leur immeuble, devenu une vente de garage permanente. On distinguait mal les objets abandonnés, à donner, de ceux remis en valeur, à vendre au plus offrant.

Kevin offrait aux voisins de déneiger leurs escaliers en colimaçon aux larges marches en bois repeintes mille fois en gris et sur lesquelles on glissait immanquablement, en hiver, passant du deuxième au rez-de-chaussée sur les talons ou, pour les moins chanceux, sur les fesses. Le jeune garçon savait qu'il n'avait pas le droit d'entrer chez les gens. Il réussissait à amasser quelques dollars, pour « aider ma mère à me donner à manger », disait-il. Il faisait aussi la tournée des bacs de recyclage avant d'aller à l'école le lundi matin et allait échanger les bouteilles consignées contre de la monnaie au dépanneur du coin. Il avait comme ça quelques boulots à temps perdu. Tu le considérais du haut de tes six ans comme un modèle à suivre, car il avait, comme les superhéros, la capacité d'être partout à la fois dans le temps de le dire.

Un soir, je l'aperçus qui remontait la rue Aylwin que je m'apprêtais à descendre. Là où un ancien théâtre du début du siècle avait été converti en salle de bowling, où les rares locaux commerciaux affichaient des pancartes «à louer», leurs vitres placardées de grands cartons derrière lesquels on voyait des néons et où on devinait la verdure de plants de cannabis. Kevin avait sur le dos le vieux manteau du Canadien de son père, le CH avait été maintes fois recousu par sa grand-mère, par sa mère... les manches trop longues, le col lui montant jusqu'aux oreilles – tant mieux, parce qu'il n'avait ni tuque ni foulard. Il avait l'air d'un manchot qui se rentre la tête pour se protéger du froid, qui en cherche d'autres comme lui contre qui se coller. En m'apercevant, il avança le plus vite qu'il put en faisant quelques pas suivis d'une glisse, le temps de reprendre pied et de faire encore quelques petits pas, cherchant l'équilibre d'un pied à l'autre sur ses vieux runnings dont les semelles scintillaient encore. S'il avait tant de mal à marcher, c'est qu'il avait dans ses bras un objet trop lourd pour lui, pour sa taille frêle, pour la maigreur de ses jambes.

En voyant Kevin s'approcher, je reconnus l'objet qu'il tentait tant bien que mal de porter: une vieille machine à écrire, probablement défectueuse, mais qu'importe! En me la montrant, à quelques mètres de moi, il me dit en fixant mon regard de ses yeux cernés: «J'étais sûr que t'allais la vouloir, hein, tu la veux? Je t'a vends cinq piastres!» dit-il en affichant un sourire franc de dents brunies par les caries. Je la lui achetai sans trop savoir comment agir, si je devais l'encourager ou non à être l'esclave de ces cossins.

L'enfant devient adulte lorsqu'il cesse d'être protégé. En me donnant la machine à écrire, les petites mains glacées de Kevin avaient sursauté au contact de la chaleur des miennes. Une mère à retardement...

* * *

Ton père m'avait appelée pour me dire que tu étais reparti, en laissant une note sur la table. Il était inquiet. Je t'avais parlé à deux ou trois reprises sans trop de succès. Nous avions échangé quelques mots froids et vagues. J'avais rappelé cet ami qui m'avait informée de ton état. Il me donna une adresse où il pensait que tu te trouvais. Je n'hésitai pas à repartir à ta recherche. Encore une fois.

Depuis ta disparition, ton souvenir se mêlait à ceux de ce garçon d'Hochelaga et du jeune Maori de Centre-Sud, aperçu en haut de l'escalier. J'y cherchais des indices qui pourraient me conduire jusqu'à toi. En y repensant, c'est plutôt l'émotion qui me subjuguait, parce que la force de ma raison n'avait aucune espèce d'emprise sur elle. C'était un alliage de peur, d'inquiétude à l'idée de me rappeler avec peine un visage enfantin dont il ne subsistait presque plus rien. Et qui me forçait à le réinventer, parce que ces souvenirs étaient tout ce qu'il me restait.

Dans le film de ma mémoire, certaines séquences avaient disparu. Je devais faire le lien entre des images disparates dont celle de la luge, adossée contre le mur de notre maison du Nord, et le sourire du jeune Ignacio du Sud. Puis revenait en moi la sensation de tes ongles sur ma peau. Pour faire renaître notre passé, à toi et à moi, je dus défier l'avenir, tenter de le déjouer. C'est en songeant à cela que je décidai de retourner dans ce squat de la rue D'Iberville, dans l'espoir de croiser ce jeune homme aux yeux vitreux dans lesquels j'avais l'impression d'avoir aperçu ton reflet.

* * *

Il fallait réinventer le passé pour transformer mon présent, me disais-je. Comme le suggèrent tous ces livres de psycho-pop qui nous inspirent des problèmes pour mieux nous vendre des solutions. Le temps pressait, le printemps commençait à réchauffer la ville, me rappelait par sa tiédeur la date prochaine de mon départ qui se produirait sûrement en pleine canicule.

Je me dirigeai vers l'est. Il y avait longtemps que je n'avais pas fréquenté ce coin de la ville qui avait connu depuis quelques années une forme d'embourgeoisement. Un boulanger, quelques bistros affichant un menu tendance, du bacon saupoudré sur votre crème brûlée préférée, des fruits accompagnant votre pièce de viande et quelques trouvailles de cuisine moléculaire suffisaient pour faire grimper la facture d'un zéro. J'étais capable d'apprécier ce raffinement nouveau et le cirque qui l'entourait, mais ne pouvais me défaire de l'idée qu'à une autre époque une Marie-Antoinette s'était fait guillotiner pour les mêmes raisons. J'exagérais, comme toujours, et mes commentaires rabat-joie finissaient par agacer tout le monde, si bien que je les gardais de plus en plus pour moi. À ces tables branchées s'ajoutaient des condos qui poussaient comme des champignons, des trois et demie ou des lofts pour personnes seules. Je me suis souvent demandé si ce phénomène s'expliquait par le fait que plus personne n'était capable de partager sa vie avec un autre. Nous avions tous besoin d'élargir notre espace vital, cette extension de notre corps qu'on voulait pourtant de plus en plus mince et étroit… Avoir un chez-soi « qui vous ressemble » était devenu la priorité, suivie de près par le besoin essentiel de ne faire de concession sur rien, des bibelots à mettre sur les murs aux couleurs de ceux-ci en passant par le choix et l'emplacement des meubles, les habitudes alimentaires et le type de plante à accrocher ou non au plafond. Les pauvres se fondaient moins bien dans le paysage des façades neuves et fraîchement repeintes que dans celui des immeubles à l'abandon... En faisant un effort de remémoration, j'essayais d'imaginer ce qu'il y avait à la place de ce nouvel immeuble de condos aux portes patio qui donnaient sur des grilles. Un dépanneur sans doute, et des logements au-dessus, aux vitres recouvertes de drapeaux. Plus de femmes pour aguicher les passants, on les avait repoussées plus loin en ville, on les avait enfermées dans des maisons closes. De vieux triplex en briques passaient au feu les uns après les autres, on avait ainsi retapé le Plateau et le Mile End, il ne restait plus que le Centre-Sud et Hochelaga à brûler.

Certaines reliques du passé avaient été oubliées ici et là. Un vieux bar miteux était maintenant rempli de jeunes très cool dont le bonheur se mesurait à leur capacité à transformer chaque mouvement de leur existence en matériau potentiellement ironique. Il restait quelques dépanneurs au plancher collant qui avaient désormais un potentiel exotique pour les bourges du coin, avides de rénover leur nouvelle acquisition payée à bas prix. Il fallait faire de la mémoire ouvrière un décor branché et éclectique. Tenter de s'y mouler, en faisant tout pour détonner.

Dans le secteur plus à l'est de la Catherine, qui avait farouchement résisté à l'embourgeoisement, les condos restaient invendus et les commerces fermaient quelques mois à peine après avoir ouvert leurs portes. Les plantations de pot et le petit commerce illégal de drogues douces avaient fait place à la vente de crack dont la consommation se propageait dans ce quartier à grande vitesse. On croisait souvent de ces pantins dont les fils semblaient avoir été mêlés, leurs bras et leurs jambes bougeaient de façon fluide et brusque en même temps, complètement désarticulés. Je restais hypnotisée à les regarder essayer de trouver l'équilibre ou de garder la maîtrise de leurs membres complètement disloqués.

Pour réinventer le passé, il fallait retourner sur les lieux où mon fils avait habité et réinterpréter tout ce qui avait pu s'y passer. De ma visite impromptue à ce rêve qui m'était resté gravé dans la mémoire : une ombre chancelante, qui avance vers la porte. Mon fils. Vivant. J'eus peine à reconnaître la rue, l'édifice, l'adresse. La porte. Elle était placardée et un avis de démolition y avait été posé. J'essayais de lire la date, les détails, quand un bruit sourd de tonnerre me fit sursauter. Je me retournai. De l'autre côté de la rue, la job était déjà commencée. Lentement mais sûrement, une immense boule de démolition se balançait au bout de sa chaîne, frappait un mur qui perdait quelques briques à chaque coup. Le balancier était stoppé dans sa trajectoire, on le voyait prendre son élan et, bang, frapper un mur. Dead end. J'avais beau essayer de ne pas y voir un signe de ma propre défaite, c'était plus fort que moi. C'était moi que ce balancier venait heurter, je sursautais et tremblais un peu plus à chaque coup, et je voyais ce mur qui résistait à l'assaut en se désintégrant trop lentement… Je restai longtemps captive à la vue de cette entreprise de démolition. Incapable de bouger.

Il fallait déjouer et façonner l'avenir, me disais-je. Je retournai dans ma voiture. Je roulai vers l'est presque par habitude, par inconscience. J'avais honte, je me déculpabilisais peut-être en donnant de la monnaie aux squeegees, puis j'appuyais spontanément sur l'accélérateur dès que le feu tournait au vert. Entre les commerces à l'abandon et les femmes à louer, il y avait, çà et là, des éclats de vie ordinaire, des enfants qui courent, un dépanneur ici, un bar quelques portes plus loin, des habitués qui imprégnaient leur peau du parfum de cigare qui embaume le quartier. Bière, chips et odeur de vieux paquets de cigarettes derrière le comptoir, sous la chemise, barbe de trois jours, de dix jours, de vingt jours, visages inconnus qui crachent des mots mille fois entendus, des grognements plutôt sur le perron dans la rue par la fenêtre, et dans le parc la mère crie à tue-tête à son fils qu'il est mieux de pas la faire chier parce que câlisse il lui doit toute pis que crisse elle est-tu écœurée simonaque de l'entendre crier calvaire pus capable il fait ça pour la faire chier ben ça va être à son tour de se faire chier il le sait pas encore mais ça va être dans ta chambre une fois rendu à maison pis pense pas que tu vas pouvoir sortir après souper. Les images se bousculaient dans ma tête, comme s'il y avait des interférences entre ce que je percevais et les souvenirs d'une enfance – la mienne, la tienne – qui tout à coup apparaissaient sous mes yeux.

* * *

Des odeurs de sauce tomate s'échappent de chez la voisine. Au rez-de-chaussée, un local commercial à louer, de grands cartons derrière les vitres grillagées, à travers lesquelles on perçoit la lumière bleue des néons. Ils éclairent des plantes vertes qui poussent à profusion. Un chien-loup hurle dans la ruelle, sous le lampadaire dont la lumière orangée vacille. Sur le toit de la remise, la pluie commence à jouer des notes, douces. Le chien-loup hurle, le poil mouillé. « Ta gueule, câlisse ! » Une bouteille de bière tombe sur le sol, se brise. De la vitre partout. « Fais attention, tu vas te rentrer ça dans le pied. » La petite braille. Ahouuuuuu, le chien-loup hurle, et retourne sous un balcon, l'air piteux dans sa pisse. L'écho des voitures est plus long ; la pluie mouille l'asphalte, des pas de course dans la rue et des rires excités. « Nat!! Attends-moé!! » La rue est inondée d'eau, les flaques se multiplient, se déversent les unes dans les autres, les puisards ne fournissent pas. Kathy et Kevin sautent à pieds joints dedans, se font éclabousser et rient à en pisser dans leurs culottes. Des ruisseaux se forment. L'eau s'écoule jusqu'au fond de l'égout sale, en face de l'église. Personne n'entend son doux clapotis. Un squeegee marche sur Sainte-Cat, canette de bière dans une main. Il se racle la gorge et crache. Frappe à coups de poings contre une porte sans adresse. Frappe et crie. « Heille, esti, y a personne qui peut descendre, crisse? »

*** * ***

Je n'étais pas encore certaine d'avoir emprunté la bonne rue. De toute façon, aucun panneau n'indiquait les noms de rue dans ce coin perdu de la ville, abandonné à une circulation fluide, constante, quotidienne, où beaucoup d'autos passaient, mais où presque aucune ne s'arrêtait. Quand elles s'arrêtaient, on devinait pourquoi : elles ralentissaient d'abord, puis la tête du conducteur se penchait, à hauteur d'homme, à la recherche de hauts de cuisses de pute ou d'une adresse éclairée d'une ampoule rouge.

Je reconnus l'intersection, la première porte barricadée toujours ornée des mêmes graffitis, et la seconde, une ouverture béante vers un escalier, les jappements d'un chien. Je me stationnai et me dirigeai vers l'entrée. Je n'eus pas à gravir les marches cette fois : en plein milieu de l'escalier, une jeune femme était assise, discutait avec un copain. En m'apercevant dans le cadre de la porte, elle esquissa un sourire timide, fragile derrière le camouflage efficace de ses tatouages, de ses piercings, de son maquillage tellement habitué à son visage qu'il s'y fondait. Elle me regarda, attendant que je fasse les premiers pas, que je justifie ma présence qui, visiblement, avait interrompu leur conversation. «Je... je me demandais si... si vous auriez vu mon fils... Max...» La jeune femme leva les yeux vers son copain qui resta assez placide, puis cracha par terre. Elle fit sortir de sa bouche quelques halos de fumée et me fixa d'un air soudainement attendri, tranchant vivement avec l'émotion affichée au premier abord. « Ouin, Max est dans le coin. Y est dans un squat avec d'autre monde. La police devrait les sortir de là dans pas long. Je pense pas qu'y veut recevoir de la visite... »

Cette dernière phrase me resta en travers de la gorge, même si je m'y attendais. J'osai lui demander l'adresse («Y a pas d'adresse, madame, c'est comme une grosse maison en briques aux fenêtres toutes pétées, là... à l'est de Frontenac»), elle m'indiqua vaguement où l'immeuble se trouvait – dans un terrain vague, passé le viaduc, près de la track de chemin de fer.

* * *

Je t'ai imaginé tourner le coin de la rue, ton visage s'illuminait en m'apercevant. La tristesse s'était lentement tracé un chemin sur ta peau, mais tes traits affichaient aussi une joie soudaine – les deux émotions simultanément –, avec une franchise que les mots, seuls, n'auraient pas pu exprimer.

Les lieux paraissaient de prime abord déserts. La maison était entourée d'une clôture Frost que je ne pouvais pas franchir. Il y avait sûrement des passages, je ne voulais pas les voir pour l'instant.

Je me contentai de marcher tout autour, comme une passante qui aurait erré là par hasard. Le soleil commençait à se cacher derrière les immeubles. La magic hour de Montréal débutait : avant la noirceur, des teintes orangées et jaunes maquillaient les façades

des immeubles, les couvrant d'une dorure passagère. Je m'assis sur le trottoir, attendant je ne sais quoi. Que tu viennes enfin vers moi pour ne pas que j'aie à traverser ces barrières. Je restais, encore, sur la frontière, car de part et d'autre de celle-ci régnaient des mondes trop violents. Quelques manifestants étaient venus vous prêter main-forte, des militants pour le logement social, mêlés à des sans-abri. Des étudiants. Derrière les murs de ce squat occupé, vous revendiquiez le droit d'avoir un toit, vous les chats perdus. Je réalisai que j'en étais moi aussi. Les minutes passèrent, puis j'aperçus à travers les carreaux d'une vitre brisée les lueurs d'une flamme. Et au loin, l'écho languissant d'une sirène de police. Puis les hurlements d'un homme ou d'un chien qui semblait se prendre pour un loup.

* * *

Mon fils est parti, comme lui et moi l'avons fait un matin d'hiver. J'ai rêvé que je ne fuyais pas par l'arrière, comme une voleuse. Mais que je partais comme on part pour le week-end. Par la porte d'en avant. En parlant fort, en offrant la promesse d'un « au revoir, je reviens bientôt ». Mettre fin à tout plutôt que d'errer comme une âme moribonde. Les violentes ruptures devraient toujours avoir lieu en novembre et les départs crève-cœur, en juin. Novembre, mois inutile, mois-intermède, mois-suicide qui cache son cafard derrière des guirlandes illuminées multicolores. Je quittai mon mari un matin de novembre, dis-je. Mon fils m'a quittée, un soir trop chaud de juin… Mes souvenirs sont en désordre, comme des photos mal classées dans une boîte à chaussures. La faim me grugeait l'estomac, j'aurais pourtant pu appeler à l'aide, je n'avais plus la sensation de la faim, ni plus aucune autre sensation d'ailleurs. Que l'engourdissement rassurant du froid.

Puissant analgésique qui endort toutes les douleurs. Ou alors j'étouffais dans la chaleur d'un début d'été qui s'annonçait lourd. Trop lourd pour le poids que pouvaient soutenir mes épaules.

Je me souviens de cette blessure que tu t'étais infligée, jeune enfant, en marchant dans la ruelle. Un clou sortant d'une clôture t'avait éraflé l'épaule. Le sang coulait, assez faiblement, mais la peau était fendue, une bouche ouverte, qui, je le devinais, cicatriserait mal et resterait à jamais grimaçante. Serait vue par ta première copine, qui l'embrasserait comme on boit l'eau d'un ruisseau, qui la caresserait de son pouce en te faisant des yeux doux. Deux points de suture en vinrent à bout. On lui ferma le clapet. Tu peineras à te souvenir de son origine, inventeras une histoire, différente chaque fois. Ce secret, je le conserve, je te le confierai le jour où nous nous retrouverons. Le jour où nous nous retrouverons… Quel rêve stupide, quelle bouée artificielle, quel handicap qui m'empêche de marcher, de bouger, de partir, comme si j'avais peur d'être absente le jour où tu te décideras à me rendre visite ! Pourtant, je pourrais te croiser partout, sans le savoir, je pourrais te voir dans un train, dans une ville américaine, m'asseoir devant toi sans savoir que tu es là. En devinant simplement ta présence. Mon fils, je pourrais lui demander de m'indiquer le bon chemin en Bolivie. Lui offrir une cigarette en Islande. Lui payer à boire en République tchèque. Je n'arrêterai jamais de lui parler et de le réinventer. Peu importe où il se trouve.

Sur ma main, j'avais moi aussi une vilaine cicatrice. Je m'étais blessée en tentant désespérément d'entrer dans mon appartement par la fenêtre, parce que j'avais oublié mes clés. « Vous êtes trop vieille pour jouer à Indiana Jones », m'avait dit le médecin, sourire en coin. « La prochaine fois, vous appellerez un serrurier ! »

En plus de l'écorchure, je m'étais fait une fracture du poignet… Ce qui me fit le plus mal fut non pas la douleur de la fêlure, mais l'attention démesurée d'une infirmière haïtienne, un peu plus âgée que moi. «Oh là là, mais qu'est-ce que vous vous êtes fait là!» avait-elle dit en soupirant. Elle me rappela curieusement ma mère de façon si vive que je dus feindre la fatigue pour essuyer du revers de la main mes yeux mouillés de larmes. Touchée, coulée. «Venez, je vais vous aider à vous relever.» Pourquoi des êtres, d'un seul regard, devinent-ils tout? Pourquoi d'autres marchent-ils heureux d'être aveugles?

Noircir un cahier d'encre en t'attendant
ça coule et efface tout
mes mains d'hier ma voix
du matin
la nuit et le mal
de vivre et de mourir j'entends
ton nom je vois
l'esquisse de ton visage-enfant
qui renaît partout
tu marches

L'idée de présenter une exposition fit du chemin dans la tête de Guillaume. *Douze femmes,* des portraits de sa mère dans de multiples déclinaisons, au front soucieux barré de rides, ou à l'air rajeuni, la peau fraîche et rayonnante. Empreinte de plénitude. Ronde d'amour ou amaigrie, affaiblie. Lui seul pouvait la reconnaître en toutes ces femmes qu'il avait peintes.

Le soir du vernissage, le tableau qui attira le plus l'attention des invités montrait une femme de dos qui s'apprêtait à partir. Elle portait un sac et, dans sa main, un cahier qu'elle tenait serré comme si elle avait peur de le laisser tomber. Ce portrait s'intitulait *Quiétude.* Quiconque l'observait avec attention pouvait déceler, sur la silhouette de la femme, l'ombre d'un enfant.

Quelques jours plus tard, il reconnut une cliente qui était déjà venue au café. Une femme un peu âgée, la tête grisonnante, venue boire un thé, et qui avait quitté les lieux discrètement. Il la surprit à observer cette toile attentivement alors qu'elle était assise tout près. Hypnotisée, on eût dit qu'elle s'y était reconnue.

* * *

Guillaume emménagea chez Audrey quelque temps plus tard. Il arriva avec deux ou trois boîtes dans les bras, son sac au dos. Il remarqua tout de suite l'ordre, la musique, la bonne odeur qui se dégageait de la cuisine. Audrey était en train de lui préparer un repas.

« Ce ne sera pas toujours comme ça, là », dit-elle en riant. « Entre, sois pas gêné ! Dépose tes affaires dans le salon. » Guillaume s'installa, alla lui donner un coup de main, puis repartit dans le salon lire ses messages et choisir la musique qu'ils allaient écouter en mangeant.

À la télé, on annonçait un risque d'orage violent, des pluies torrentielles. Peut-être même une tornade ! La météorologue était au comble de l'excitation. Guillaume et Audrey entendaient déjà le tonnerre gronder. « Tu sais que c'est lorsqu'il pleut que la concentration d'ions négatifs augmente le plus ? Plus il y a d'ions, plus on se sent bien… » La remarque de vulgarisation scientifique de Guillaume resta sans réponse. Le vent se leva, les chaises de patio d'Audrey se mirent à virevolter d'un bout à l'autre de son petit balcon, causant tout un vacarme. Guillaume sortit les replacer et déposa des pots de fleurs dessus pour les stabiliser. « Arrange-toi pas pour que mes pots de fleurs tombent en bas ! » « Ben non, inquiète-toi pas… » lui dit-il à travers la moustiquaire. « Je te sers du vin ? » Il eut l'impression qu'ils se parlaient déjà comme un vieux couple…

De retour dans le salon, soudainement tout fut plongé dans le noir. « Merde !!! » Guillaume entendit le cri de désespoir amusé d'Audrey. La lune était assez claire, il réussit à se rendre dans la cuisine. Audrey se mit à rire subitement. « Le souper n'est même pas prêt !!! Je sais même pas si j'ai des allumettes. T'as-tu un briquet ? » Guillaume se dirigea vers elle, posa sa main sur sa hanche. Elle se retourna et l'embrassa en hésitant un peu.

Ils mangèrent leur plat de faux-poulet végé à moitié cuit mais encore chaud. Tout était calme. Audrey laissa les fenêtres ouvertes pour qu'ils entendent la pluie tomber. Et pour faire le plein d'ions négatifs. Elle n'avait finalement trouvé que quelques lampions qu'ils allumèrent et mirent au centre de la table. Ils soupèrent en silence, ils échangèrent peu de mots, comme si la tempête et les trombes de pluie occupaient tout l'espace sonore. Des bribes de conversation, l'écho de discussions antérieures. Que le vent et le son de leur cuillère contre la céramique de leur bol. Et les cris d'un petit garçon qui courait dans la ruelle en faisant des bonds dans les flaques d'eau.

Il y avait parmi les choses à toi que j'avais retrouvées quelques effets qui avaient appartenu à ton père, que nous n'avions pas emportés avec nous à la Baie-James et dont je n'avais jamais trop su quoi faire. Quelques livres aussi, une décoration militaire ayant appartenu à mon père, un vieil ours en peluche. Je m'étonnais peu que tu trouves plus souvent refuge chez lui que chez moi. Au fond, vous vous ressembliez beaucoup. Claude, après des années d'errance, avait fini par poser ses valises à Timmins, en Ontario, où il avait refait sa vie avec une femme d'origine chilienne. Une exilée, comme lui finalement. De son enfance, je ne t'avais jamais parlé ; lui non plus sans doute, il était peu loquace à ce sujet.

* * *

Quand ton père sortait dans la cour de l'orphelinat, il regardait le ciel, les arbres, écoutait le vent et priait, dans sa tête, comme le lui apprenaient les frères. Non pas cette prière qui implorait Dieu de le sauver... Non pas cette prière où il demandait pardon pour les fautes qu'il avait souvent l'impression de ne pas avoir commises. Une prière qui s'adressait au Grand Tout, à la Vie, étrangère aux diableries, qui prenait forme dans la nature, adressée à celle qui s'assurait que le cycle des saisons soit éternel. Quand les curés lui parlaient d'éternité, c'était à cela qu'il pensait, à la promesse automnale que nous font les arbres de redevenir verts le printemps revenu. À ce qui, dans l'espace, au-delà de nous, au-delà de l'humain, pouvait incarner l'idée de la durée et de l'infini. Et chaque fois qu'il doutait, qu'il en venait à se demander quel était son nom, qui étaient ses parents et ce qui l'attendait après l'orphelinat, le vent, comme un chuchotement familier, venait le rassurer. Ce vent, cette terre n'avaient pas besoin des visages des saints ni des paraboles, quelles qu'elles soient. Au fond de lui il le savait, et quand il se mettait à s'agiter comme un tremble, qu'on le matait à coups de règle, qu'on l'enfermait, il s'accrochait à cette idée du Grand Tout qui l'apaisait. Ton père savait aussi que, le jour où il en aurait assez, il irait prendre une longue marche durant une nuit glaciale, jusqu'à ce que ses membres s'engourdissent un à un et qu'il s'assoupisse dans un hiver qui ne prendrait, pour lui, jamais fin. Il rêvait qu'on le trouve, qu'on le couve, et qu'on l'enterre sous un arbre et qu'il renaisse le printemps venu.

Ton père a fui comme tu l'as fait, comme nous l'avons fait si souvent… Un jour où il en avait assez. Pour certains, le bois était dangereux, pour lui, c'était un refuge. Il marcha pendant des heures jusqu'au village le plus près. La semaine précédente, l'une de ses camarades s'était enlevé la vie. Quand il me parlait de cette période de sa vie – son enfance –, il était fier de ce jour d'avril où, prenant son courage à deux mains, il avait sauté la clôture et pris ses jambes à son cou, plutôt que de s'endormir à jamais. Quand il me parlait de sa fuite, son visage, d'ordinaire un peu triste, s'illuminait d'un bonheur discret, intouchable, face auquel je restais sans voix.

C'est à cette liberté-là que j'aurais tant aimé que tu goûtes. Exactement celle-là.

Il est vêtu de noir, de la tête aux pieds, un casque de hockey sur la tête et des lunettes de ski orange pour se protéger les yeux. Il porte un bouclier bricolé à la maison, tel un Don Quichotte prêt à se battre contre des monstres imaginaires. Des moulins s'agitent au loin, il les entend mais ne les voit pas. Il n'est pas seul. Ses acolytes sont attriqués de la même façon, l'un porte un vieux casque de moto noir sur lequel il a peint une tête de mort et déambule avec un bâton de hockey à la main, prêt à renvoyer la première bombe lacrymogène dans le camp adverse. Un homme d'affaires, un portable contre l'oreille, tente d'éviter les manifestants en faisant un long détour, exaspéré. Il n'a même pas entendu les insultes qu'on lui a criées. Un gars arrive en courant : « Les chiens attaquent ! » On les attendait, ils faisaient le guet depuis deux jours deux rues plus loin, des hordes de véhicules de police, de paniers à salade et de policiers antiémeutes plantés comme des piquets en attendant le bon moment pour passer à l'action. Il faut sortir la gang du squat. Pour cela, ils devront d'abord disperser les manifestants qui sont venus appuyer les squatteurs.

Le signal est donné. Les policiers se mettent à bouger de façon coordonnée, en frappant leur bouclier de plastique avec leur matraque. Ils avancent comme des pions, cachant derrière eux le cavalier, le fou, la tour, la reine et le roi. Rien ne doit obstruer leur trajectoire. Des gens, un peu inquiets, se dispersent, s'éloignent du quadrilatère qui sera barré, encerclé. Les autres resteront pris en souricière. En retrait, les gens restent curieux. Guillaume scrute les visages un à un à la recherche de celui d'Audrey.

La jeune femme est censée être là depuis quelques minutes déjà, ils ont rendez-vous pour le déjeuner. Guillaume se réfugie dans un café, jette un coup d'œil à son portable. Rien. Aucun message d'elle. Il s'assoit près de la fenêtre et observe la scène qui continue à se jouer sous ses yeux et dont il n'est plus l'un des figurants, mais un spectateur parmi d'autres, protégé par la vitrine. Le nombre de policiers a doublé, leur action est maladivement bien ordonnée. Les policiers sont masqués, seul leur matricule les distingue les uns des autres. Les Don Quichotte sont prêts pour le combat, même s'il est perdu d'avance. Ils le savent. Le capitalisme sauvage est en train de saccager l'environnement et de briser les gens, les uns après les autres – physiquement, moralement, psychologiquement. On accuse les manifestants d'avoir craché par terre, d'avoir fait du bruit, d'avoir troublé l'ordre public. La ville leur appartient, scandent-ils. La foule, qui s'éloigne de plus en plus, s'est transformée en petits îlots de peur nerveuse. Un homme tente de raisonner les manifestants. La riposte ne se fait pas attendre : on lui dit de dégager.

Les arrestations seront violentes. Les gens s'assoient par terre, se font encercler. Ceux qui résistent se font tabasser. Un Don Quichotte a fait voler des pierres qui ont atteint le casque d'un policier. Il est projeté contre le sol, genoux des policiers contre le dos, mains menottées. L'homme tient bon. Son visage est maintenu contre l'asphalte. Ce n'est plus lui… c'est le policier, c'est le spectateur, c'est celui qui filme tout sans intervenir, qui bave devant ce spectacle. Quand le garçon bouge la tête, de fines roches lui éraflent la peau. Du sang commence déjà à couler, il sent la chaleur du liquide contre sa joue, son goût ferreux dans sa bouche. Un badaud capte la scène avec son téléphone avant de s'enfuir comme un voleur. Guillaume a peur qu'Audrey ne se fasse blesser. La sirène d'autres voitures de police appelées en renfort retentit. Le garçon est maîtrisé, mais l'agitation autour se poursuit. La milice cherche à maîtriser des sympathisants, veut repousser les curieux encore plus loin. Guillaume aperçoit à quelques mètres d'eux le visage tantôt inquiet, tantôt excité d'Audrey. Il l'appelle de nouveau sur son portable, mais le signal ne se rend pas. Il sort du café, agite les bras, ne peut retenir un large sourire. Elle fait un détour pour éviter la cohue, accélère, nerveuse, puis fait de grands sauts en contournant les flaques d'eau qui la séparent de lui.

Je n'attends qu'un signe de toi pour aller te rejoindre, me fondre dans le mouvement que tes compagnons et toi formez. J'aime te voir, à travers cette fenêtre. Fuis ou plonge dans ce bonheur quelconque, choisis-le, oublie-moi ou fais de moi ta vie, que la tiédeur ne t'endorme jamais, préfère l'explosion à l'implosion lente, vicieuse, pernicieuse, cesse de vouloir t'adapter à un monde malade, ne cherche pas à t'y mouler, en te cassant les os, mais brise ce moule contraignant, nettoie ton visage, souris et redécouvre tes traits, puis glisse tes doigts sur le mien, comme le ferait une mère, un amant, une femme, joins-toi à ceux qui marchent, le regard franc, leur danse est envoûtante, leur prière, silencieuse, apaisante.

Sur ton visage, j'imagine les traces de tes blessures, des combats que nous avons menés avant toi et que pour rien au monde je ne voulais te léguer. Je regarde une photo de toi en enfant-soldat, tu joues à tuer des Indiens. Puis tu es l'Indien, attaché à un arbre, qui se délie et atteint ton ennemi d'une flèche en plein cœur. Et moi je suis cette femme morte dans l'anonymat le plus total. Je pensais m'être sacrifiée pour que tu vives dans un monde meilleur, un monde dépourvu de misère, de guerre, un monde de temps libres et de loisirs, non pas un monde dont tu serais l'esclave, le sous-fifre et le patron à la fois, où les êtres imploseraient les uns après les autres à force de marcher sur les mines du désordre ambiant. Derrière cette fenêtre, tu te bats pour que tout cela cesse, que tes amis, tes tantes, tes voisins et les autres ne se cassent plus en deux, ne pensent plus qu'ils sont les seuls responsables de leur mal-être, ne cherchent plus une solution chimique, médicale, psychologique ou violente à leurs dérèglements.

Une voix enfouie en moi, dont je n'entends que le souffle court, résonne comme une musique en sourdine, qui s'accompagne de silhouettes floues dont je peine à percevoir l'expression. Elle me parle des idéaux dont j'ai perdu la trace, la raison, le lieu. Les mots qu'elle prononce, presque inaudibles, parviennent malgré tout à exprimer l'indicible honte qui accompagne chacune de mes défaites, chacun de mes abandons. Ni moi ni les autres ne trouvons la faculté de retrouver la manière de dire pour émouvoir, pour toucher, pour faire rêver, ni moi ni les autres ne savons désormais comment dire ce qui nous assomme, comment voir par-delà des ombres qui nous effraient, comment nous en sommes arrivés à nous perdre, nous éloigner les uns des autres et à les laisser, eux, ces maîtres de la peur, de l'arrogance, de l'ignorance, occuper tout l'espace, soudés comme des pierres. La voix qui me chuchote à l'oreille de m'éveiller est si douce, si grave, si tendre, si suave qu'elle me paralyse par sa beauté, qu'elle m'engourdit et m'émeut, me torture par mon incapacité à y répondre, ne serait-ce que par un simple acquiescement. Cette voix, celle de mes aïeux et de mes enfants, celle de mes voisins, des hommes et des femmes inconnues que je croise au hasard, et qui marchent, marchent et marchent encore, s'impatiente, me crie parfois à l'oreille de cesser de m'éteindre, de cesser de disparaître, à petit feu. Si au moins c'était dans un brasier ! J'ignore comment y obéir, car je suis ce qu'ils ne veulent plus voir, je suis ce qui ne doit plus exister, j'ai l'accent rauque de mes parents, celui d'une vie trop dure pour ne pas se laisser fêler, mon identité est d'être fêlée, j'y resterai fidèle tant que mon fils vivra. Cette voix, elle est parfois dissonante ou hurlante, et moi je voudrais l'entendre chanter... Elle pleure lorsque je voudrais l'entendre rigoler, elle sanglote quand, la nuit, je voudrais l'entendre me dire quelle part de moi elle aime. Moi ou les autres, cela importe si peu. Qu'avons-nous fait aux mots pour qu'ils se vident de leur puissance, de leur substance ? Pour qu'ils tremblent, qu'ils hésitent, qu'ils doutent à en perdre leur sens ? Pour qu'ils cessent de nous toucher, de nous émouvoir, de signifier ? Sur cette Terre dont je ne saisis plus l'ordre du temps, de l'espace, dont je ne reconnais plus les paysages mais n'assiste qu'à leurs changements, sur cette Terre dont l'unique repère est le temps qui passe et laisse sa trace sur nos visages, je respire et je l'entends me dire, en bafouillant, et malgré son cruel manque de mots, je l'entends m'implorer, de très très loin, de ne pas y être sourde, de ne pas la trahir. D'être à la hauteur.

Derrière cette fenêtre, tu attends. Avec d'autres. Une femme, longue. Jeune. Tatouée. De l'agressivité au visage. Un visage qui reflète, par ses traits, chacune de ses batailles. Il y a toi et d'autres fils un peu perdus. Une famille qui s'est recréée, pour se réinventer des appartenances. Un couple d'amoureux qui a encore mille portraits à peindre, à chanter, qui s'embrasseront peut-être entre deux bombes lacrymogènes en se foutant bien des clichés. Il y a un vieil homme qui sourit dans le vide, cherche des oiseaux auxquels s'accrocher. Il pose son regard sur moi comme s'il me connaissait et me fait un clin d'œil anachronique. Je souris timidement. Des policiers ont encerclé le bâtiment, votre occupation est illégale. Ils rentreront chez eux le soir venu, peut-être sans trop savoir ce qu'ils faisaient là. Une centaine de manifestants à l'extérieur vous appuient. La tension monte et il pleut des roches, tout ce qui leur tombe sous la main. J'entends de la vitre se fracasser contre les murs – j'imagine des crocs vert bouteille éparpillés partout. Je vous regarde, inquiète, amusée, incrédule. Des gens crient: «Dégage» à l'endroit des policiers. Ceux-ci répondent: «Bouge». J'ai peur un peu, mais dès que le sentiment se pointe, il est soufflé par un vent de courage. Le clocher de l'église a la rigidité du métronome arrêté. Tu vas bouffer du poivre de Cayenne et respirer du gaz lacrymogène, et pour voir de nouveau, tu aspergeras tes yeux d'eau pure et te couvriras la bouche d'un foulard imbibé de vinaigre. Si j'avais pu t'éviter tout cela, je l'aurais fait. J'ai abîmé tes ailes il y a longtemps en te forçant à tout quitter avec moi, ni chassé par la fumée, ni par les flammes, mais par un élan si fort qu'il te pousse encore aujourd'hui à t'échapper. Nous sommes loin l'un de l'autre, mais un lien fragile nous unit, une flamme invisible entre nous vacille, une sorte de prière intime dans un lieu sacré. J'hésite encore à aller vers toi. Entends-tu la musique? Tu es là, le visage couvert d'un foulard. Je regarde le ciel: un toit immense au-dessus de nos têtes, percé d'étoiles. Juste assez de lumière pour que je reconnaisse tes traits, tes mouvements que j'ai vus naître, un à un. Dont je connais l'origine. Le vent se lève, une envolée d'oiseaux se laisse porter par lui. Il redonne de la vigueur aux feux allumés ici et là, il me décoiffe, te rafraîchit, nous pousse tous deux, ensemble, vers je ne sais où. Ce qui compte, c'est qu'il nous donne du souffle et qu'il nous éloigne de la peur. Enfin.